湯顯祖研究文獻目錄

陳美雪　編

臺灣學生書局印行

自　序

民國六十一年，筆者進入中興大學中國文學系，開始閱讀中國古典文學作品。四年級的「曲選」課，由揚宗珍（孟瑤）老師講授，對古典戲曲漸感興趣，雜劇方面，讀過《元人雜劇選注》，傳奇則讀過《琵琶記》、《牡丹亭》、《長生殿》、《桃花扇》等，但還沒有把它作爲研究對象的想法。民國六十六年，考入輔仁大學中國文學研究所，在先師葉慶炳教授指導下，選擇了古典戲曲作爲研究對象，完成碩士論文《元雜劇神話情節研究》，對古典戲曲的種種特色也有較深一層的了解。

隨後的八年間，在光仁中學任教，每天早晨七時半就得到校陪學生早自習，晚上回到家也已七、八點。加上小孩陸續出世，當從學校拖著疲憊的身軀踏入家門，又馬上陷入另一階段的忙碌之中。這中間，只能作教學的備課，根本不敢奢言作研究。民國七十七年，轉入亞東工專任教，次年，又轉入世界新專，已無學生升學的壓力，也想到要繼續十年前的戲曲研究工作。這時，正好政府開放兩岸學術文化交流，大量的大陸出版品陸續湧入，有關戲曲的書籍論文，一時增加好幾倍。要利用戲曲資料，變成相當麻煩的事。外子林慶彰先生建議可慢慢收集資料，編集一部《古典戲曲研究論著目錄》，一方面爲自己研究時檢索方便，另方面也可造福研究戲曲的學界人士。

民國七十八年寒假，開始收集坊間所能見到的各種目錄索引，並剪貼在目錄卡片中。近一年間，所累積的卡片已裝成三十多個目錄盒。八十年春，香港大學中文系黎活仁教授送給外子《中國古典戲曲研究資料索引》（香港：廣角鏡出版社，1989年09月）一冊。本以爲有這一目錄，我所要編的目錄似可不必再作，但該書僅收1949～1983年間的論文，收錄年限似嫌太短，似乎無法取代我們編輯一部完整目錄的構想。我又把該目錄影印剪貼成卡片，外子又從大陸買回中國人民大學所編的複印報刊資料《戲曲研究》、文化藝術出版社的《戲曲研究》，及各種專書、論文集近百種。這些書中的各個條目，都必須抄出。到民國八十三年，所累積的卡片已有數萬張，如剔除重複，可能也有兩萬張。要以一個人的力量完成這一目錄，變成相當辛苦的工作。

這時，爲了準備學校的升等，我打算研究明代戲曲家湯顯祖。從所剪貼的數萬張卡片中，將有關湯顯祖的卡片抽出，已有一千餘條。比起前人所編湯顯祖的研究資料目錄，如余悅編〈湯顯祖研究資料索引〉（《湯顯祖研究論文集》，頁592-620。北京：中國戲劇出版社，1984年5月）、根ヶ山徹編《湯顯祖研究中文文獻目錄稿》（《中國古典小說研究動態》，第5期，1991年10月）、于曼玲編《中國古典戲曲小說研究索引》（廣州：廣東高等教育出版社，1992年8月）湯顯祖部分，已多出數倍的條目。乃將這一部分的資料按所訂之類目，逐條輸入電腦，並陸續加以增補，總條目達到一千四百餘條，編成《湯顯祖研究文獻目錄》。雖不能說收盡一切有關湯顯祖的資料，但研究湯顯祖的學者有此一編，應能在最短的時間內找到最多的資料。

當這本《湯顯祖研究文獻目錄》編輯完成後，我有些感想，就是以前也有學者編過湯顯祖的研究目錄，但收集的條目都非常不完整，對學者的幫助也就不大。前人何以會有這樣的缺失？分析其原因，大概有兩點：一是對目錄的觀念不夠正確。很多學者以爲研究資料目錄即等於期刊論文目錄、所以，僅收錄各種期刊中所刊載的論文而已，其他如：專書、報紙論文、論文集論文、學位論文、會議論文等，一概加以忽略。以這種態度來編目錄，所收集的資料當然不夠完整。二是檢索資料的工夫不夠確實。編一本完整的目錄，除了應利用已有的各種綜合目錄、專科目錄，也應研判那些部分的資料，前人的目錄可能失收。如中國人民大學所編複印報刊資料有《中國古代、近代文學研究》，應該會收錄不少湯顯祖的論文，可是，我在剪貼的過程中，卻未發現有出自該刊物的條目，遂到圖書館逐期檢查，竟抄得近百條資料。可見，腳踏實地的檢索，是編好一本目錄的先決條件。

本目錄中的外文條目，透過外子的協助，委託中央研究院中國文哲研究所戲曲名家華瑋博士和王瑷玲博士訂正英文部分；留德哲學家江日新先生訂正德文部分。外子的高足馮曉庭先生、汪嘉玲小姐，在我們使用電腦的過程中，長期給與技術指導。臺灣學生書局當局願意出版這種冷門書，擔任該書局編輯的外子高足游均晶小姐，也麻煩她很多。這目錄在這麼多前輩、朋友的協助下才能順利完成，在此，表達深深的謝意。

雖然，我們一直希望把這目錄編得更完善，但限於學力和客觀條件，必仍有不少缺失，懇請海內外學界先進，多賜予指導。

陳美雪誌於世界新聞傳播學院
民國八十五年十二月

編輯説明

一、本目錄收1900-1995年間，台灣、大陸、日本、歐美等地，研究湯顯祖之專著和論文條目。1900年之前的部分傳記資料，和1996年之部分論著條目，爲求資料能更完備，也加以收錄。

二、本目錄所收之專著，包括單行之專著和收入叢書者；論文包括期刊論文、報紙論文、論文集論文、學位論文、學術會議論文等。

三、本目錄分上、下兩編：上編湯氏著作，分全集、詩文集、戲曲合集、紫簫記、紫釵記、牡丹亭、南柯記、邯鄲記、評點作品等類。每一類又分若干小類。下編後人研究論著，分傳記與年譜、作品總論、紫簫記、紫釵記、牡丹亭、南柯記、邯鄲記、詩文與小說、評點作品、湯沈之爭、學術活動、對國外的影響、論文集、書目文獻等類。每一類下又分若干小類。

四、本目錄所收之專著和論文條目，系採混合排列。資料內容如涉及兩類以上者，則予以互見，以方便檢索。

五、各類論著之著錄項如下：

1.專書：作者、書名、出版地、出版者、頁數、出版年月。

2.期刊論文：作者、篇名、期刊名、卷期、頁數、出版年月。

3.報紙論文：作者、篇名、報紙名、版次、出版年月日。

4.論文集論文：作者、篇名、論文集名、頁數、出版地、出版者、出版年月。

5.學位論文：作者、篇名、畢業所別、頁數、年度、指導教授名。

6.學術會議論文：作者、篇名、會議名稱、舉辦地點、舉辦機構、舉辦時間。

各著錄項有缺項者亦不留空格。

六、本目錄所收外文條目，均依原來之語文著錄，僅俄文之條目，爲排版方便，改用中文著錄。

七、湯氏著作部分，所錄各書後，附有收藏地點，乃參考傅惜華所編《明代傳奇全目》一書和各重要圖書館書目歸納而成。

八、本目錄有附錄四種：一是湯顯祖研究資料彙編（毛效同編）目次，二是引用工具書目錄，三是引用專著和論文集目錄，四是作者索引。

目　次

上編　湯氏著作

一、全　集

0001　湯顯祖　　玉茗堂集四十六卷三十二冊
明天啓元年刊本（國家圖書館、傅斯年圖書館、北京圖書館、南京圖書館、上海圖書館、浙江圖書館藏）

0002　湯顯祖　　玉茗堂全集存四十五卷十冊
明天啓元年刊本（缺文卷十六）（國家圖書館藏）

0003　湯顯祖　　玉茗堂全集四十卷
明天啓間刊本（北京圖書館、美國國會圖書館藏）

0004　湯顯祖　　玉茗堂全集四十六卷十二冊
明末刊本（國家圖書館藏）

0005　湯顯祖撰、沈際飛選　獨深居點定玉茗堂集三十卷八冊
明崇禎丙子（九年）吳郡沈氏刊本（國家圖書館藏）

0006　湯顯祖撰、沈際飛輯　玉茗堂文集七卷詩集十三卷尺牘六卷南柯夢二卷明刊本（北京圖書館藏）

0007　湯顯祖　　玉茗堂全集四十六卷
清康熙三十三年刊本（臺灣大學文聯圖書館藏）

0008　湯顯祖　　玉茗堂全集
臨川湯氏家刊本（據康熙本覆刻）

0009　湯顯祖　　玉茗堂全集
上海　生活書店　1935年8月（世界文庫）

0010　湯顯祖　　湯若士全集
上海　大道書局　4冊　844頁　1935年

0011　湯顯祖　　湯顯祖集
1、2冊詩文集　徐朔方箋校
3、4冊戲曲集　錢南揚校點
上海　中華書局上海編輯所　4冊　1962年7、11月
上海　上海人民出版社　4冊　1973年7月
臺北　洪氏出版社　1975年（樂天人文叢書）

0012　趙景深　　新發現的湯顯祖家傳全集殘版
　　　　　　　　文學遺產　1980年3期　頁151　1980年12月

二、詩文集

0013　湯顯祖　　臨川湯海若玉茗堂文集十六卷六冊
明萬曆三十四年丙午金陵周如溟刊本（上海圖書館藏）

0014　湯顯祖　　湯義仍先生集二卷
臨川文獻　清康熙十九年夢川亭刊本

0015　湯顯祖　　紅泉逸草不分卷
明萬曆三年乙亥刊本（南京圖書館藏）

0016　湯顯祖　　紅泉逸草不分卷　問棘郵草不分卷
民國中華書局鉛印本（東海大學圖書館藏）

0017　湯顯祖　　紅泉逸草
上海　中華書局上海編輯所　1960年7月（與問棘郵草合冊）（據萬曆乙亥本排印）

0018　湯顯祖　　湯臨川問棘堂郵草十卷二冊
明萬曆六年金谿謝氏問棘堂刊本（國家圖書館藏）

0019　湯顯祖撰、徐渭評　湯海若問棘郵草二卷
明萬曆刊本（北京圖書館、浙江圖書館藏）
上海　古典文學出版社　1958年6月（據萬曆刻徐渭批釋本影印）

0020　湯顯祖撰、徐渭批釋　湯海若問棘郵草二卷二冊
明山陰張汝霖校刊本（國家圖書館藏）

0021　湯顯祖　　問棘郵草
上海　中華書局上海編輯所　1960年7月（與紅泉逸草合冊）（據徐渭批釋本排印）

0022　湯顯祖著、徐朔方箋校　　湯顯祖詩文集
上海　中華書局上海編輯所　1962年7月（湯顯祖集第 1、2冊）
上海　上海人民出版社　1973年7月（湯顯祖集第1、2冊）
臺北　洪氏出版社　1975年（湯顯祖集第1、2冊）

0023　湯顯祖著、徐朔方箋校　　湯顯祖詩文集
上海　上海古籍出版社　2冊　1982年6月（中國古典文學叢書）

0024　湯顯祖撰、帥　機選　玉茗堂集選十五卷八冊
明萬曆丙午（三十四年）金陵周如溟刊本（國家圖書館藏）

0025　湯顯祖　　玉茗堂詩集十八卷
明天啓刊本（臺灣大學圖書館藏）
0026　湯顯祖撰、陸雲龍編　翠娛閣評點湯若士先生小品二卷一冊
明崇禎間錢塘陸氏原刊本（國家圖書館、傅斯年圖書館藏）
0027　湯顯祖　　臨川湯若士先生玉茗堂尺牘六卷絕句選二卷
明萬曆刊本（北京圖書館藏）
0028　湯顯祖　　臨川湯海若先生玉茗堂尺牘　存三卷三冊
明萬曆四十六年戊午刊本（蘇州圖書館藏）
0029　湯顯祖　　玉茗堂尺牘六卷六冊
明刊玉茗堂全集本（國家圖書館藏）
0030　湯顯祖　　玉茗堂尺牘六卷四冊
明刊九行本（國家圖書館藏）
0031　湯顯祖　　湯顯祖尺牘
上海　上海雜誌公司鉛印本　1冊　1936年
0032　湯顯祖　　湯顯祖尺牘
上海　貝葉山房　22,184頁　1936年2月（明人四家尺牘之一）
0033　朱彝尊　　湯顯祖詩選
明詩綜　卷54　頁25-27　臺北　世界書局　1970年8月再版
影印文淵閣四庫全書　第1460冊　明詩綜　卷59　頁421
臺北　臺灣商務印書館　1983年
0034　清聖祖　　湯顯祖詩選
影印文淵閣四庫全書　第1442冊　御選明詩　卷5　頁80
臺北　臺灣商務印書館　1983年

三、戲曲合集

1、原　本

0035　湯顯祖　　獨深居點定玉茗堂集
明崇禎刊本
0036　湯顯祖　　臨川四夢八卷十六冊
明末吳郡書業堂翻刻六十種曲本（國家圖書館藏）
0037　湯顯祖　　玉茗堂四夢八卷八冊
明末張弘毅著壇刊本（北京圖書館藏）
0038　湯顯祖　　臨川四夢八卷十冊
清初坊刻本（國家圖書館藏）
0039　湯顯祖　　玉茗堂四種傳奇
清刻巾箱本（存8冊，缺還魂記一種）
0040　湯顯祖　　玉茗堂四種
文立堂刊袖珍本第1-3冊　南柯記傳奇四集二卷
第4-5冊　邯鄲夢傳奇四集二卷
第6-9冊　紫釵記四集二卷
第10-12冊　牡丹亭還魂記四集二卷
0041　湯顯祖　　臨川四夢
揚州　江蘇廣陵古籍刊印社　1冊　1990年10月
0042　湯顯祖　　湯顯祖戲劇
北京　人民出版社　1962年鉛印本
0043　湯顯祖著、錢南揚點校　湯顯祖戲曲集
上海　中華書局上海編輯所　1962年11月（湯顯祖集第3、4冊）
上海　上海人民出版社　1973年7月（湯顯祖集第3、4冊）
臺北　洪氏出版社　1975年（湯顯祖集第3、4冊）
0044　湯顯祖著、錢南揚點校　湯顯祖戲曲集
上海　上海古籍出版社　上、下冊　1009頁　1978年6月
上海　上海古籍出版社　上、下冊　1009頁　1982年6月（中國古典文學叢書）
0045　湯顯祖　　嶄新校注插圖本湯顯祖戲曲集
臺北　里仁書局　1981年

2、改編本

0046　湯顯祖著、臧懋循訂　臨川四夢八卷十六冊
　　明刊本（國家圖書館藏）

0047　湯顯祖著、臧懋循訂　玉茗堂四種傳奇八卷十冊
　　明刊本（中國科學院圖書館藏）

0048　湯顯祖著、臧懋循訂　玉茗堂四種傳奇八卷八冊
　　明刻清乾隆二十六年書業堂重修本（北京圖書館藏）

0049　江西省撫州地區紀念湯顯祖逝世366周年領導小組辦公室編　整理改編臨川四夢——湯顯祖歷史故事劇專輯
　　江西撫州　該辦公室　1982年9月
　　1.牡丹亭（七場撫州採茶戲）張齊改編
　　2.紫釵記（九場宜興戲）　萬斌生改編
　　3.邯鄲夢（大型京劇）夏雪慶改編
　　4.南柯夢（八場撫州採茶戲）龍雪翔改編
　　5.淚洒玉茗花（六場撫州採茶戲）徐正付、陳　昉編劇
　　6.風雨牡丹亭（八場撫州採茶戲）胡一輝編劇

0050　劉炎平、張治端　臨川四夢——湯顯祖戲曲故事
　　山西　中外文化出版公司　1989年5月

四、紫簫記

1、明清刊本

0051　湯顯祖　新刻出像點版音注李十郎紫簫記四卷四冊
明萬曆間金陵富春堂刊本（北京、南京圖書館藏）
古本戲曲叢刊　初集　第76種　北京　文學古籍刊行社　1954年2月
全明傳奇　第46種　臺北　天一出版社　1985年

0052　湯顯祖　新鐫出像註釋李十郎霍小玉紫簫記題評二卷
明萬曆間金陵世德堂刊本（前大連圖書館藏）

0053　湯顯祖　紫簫記定本
明末汲古閣原刻初印本

0054　湯顯祖　新刻出像點版音註李十郎紫簫記四卷
繡刻演劇　明金陵書坊分刊合印本（富春堂刊）（國家圖書館藏）

0055　湯顯祖　紫簫記二卷
繡刻演劇六十種　明末毛氏汲古閣刊本（中國人民大學圖書館藏）

0056　湯顯祖　紫簫記二卷
繡刻演劇六十種　明末毛氏汲古閣刻實獲齋印本（中國人民大學圖書館藏）

0057　湯顯祖　紫簫記
六十種曲　申集　明汲古閣刊本（國家圖書館、東吳大學圖書館藏）

0058　湯顯祖　紫簫記
清刊本

2、點校本

0059　湯顯祖　繡刻紫簫記定本
六十種曲　第5套　上海　開明書店　1936年6月
六十種曲　第5套　北京　文學古籍刊行社　1955年6月
六十種曲　第5套　北京　中華書局　1958年5月；1982年8月

2刷；1990年5月3刷
六十種曲　第5套　臺北　臺灣開明書店　1970年6月臺1版

0060　湯顯祖著、錢南揚點校　紫簫記
湯顯祖集第4冊　頁2433-2587　上海　中華書局上海編輯所　1962年11月；上海　上海人民出版社　1973年7月；臺北　洪氏出版社　1975年（樂天人文叢書）
湯顯祖戲曲集　下冊　頁854-1009　上海　上海古籍出版社　1978年6月；1982年6月（中國古典文學叢書）

3、選注本

(20)勝　遊

0061　吳　梅　紫簫勝遊
曲選　卷2　頁39-40　上海　商務印書館　1930年11月；1932年9月國難後1版（國立中央大學叢書）

(24)送　別

0062　吳　梅　紫簫送別
曲選　卷2　頁40-42　上海　商務印書館　1930年11月；1932年9月國難後1版（國立中央大學叢書）

五、紫釵記

1、明刊本

0063　湯顯祖　　重校紫釵記二卷二冊
明萬曆三十年陳氏繼志齋刊本（北京圖書館藏）

0064　湯顯祖　　出像點版霍小玉紫釵記定本二卷
明萬曆三十年金陵繼志齋刊本（路工、神田喜一郎藏）

0065　湯顯祖撰、臧懋循改訂、紫釵記二卷二冊
明萬曆刊本（有吳梅批點並跋）（北京圖書館藏）

0066　湯顯祖　　紫釵記二卷二冊
明刊玉茗堂全集本（北京圖書館藏）

0067　湯顯祖　　紫釵記二卷
玉茗堂四夢之一　明萬曆間刊本（東北師範大學圖書館藏）

0068　湯顯祖著、獨深居點定　紫釵記二卷
玉茗堂四種曲　明崇禎間獨深居點定本（傅惜華藏）

0069　湯顯祖　　柳浪館批評玉茗堂紫釵記二卷
明末柳浪館刊本（北京圖書館藏）
古本戲曲叢刊　初集　第77種　北京　文學古籍刊行社　1954年2月
全明傳奇　第48種　臺北　天一出版社　1985年

0070　湯顯祖著、臧懋循訂　紫釵記二卷二冊
明吳郡書業堂刊本（中國科學院圖書館藏）

0071　湯顯祖著、臧懋循訂　紫釵記二卷四冊
臨川四夢之二　明刊本（國家圖書館藏）

0072　湯顯祖　　紫釵記二卷四冊
臨川四夢之二　明末吳郡書業堂翻刻六十種曲刊本（國家圖書館藏）

0073　湯顯祖　　湯義仍先生紫釵記二卷四冊
明末刊本（國家圖書館藏）

0074　湯顯祖　　紫釵記二卷
玉茗堂四夢　明末張弘毅著壇刊本（北京圖書館藏）

0075　湯顯祖　　紫釵記定本二卷
明末汲古閣原刻初印本

0076　湯顯祖　紫釵記二卷
繡刻演劇六十種　明末毛氏汲古閣刊本（中國人民大學圖書館藏）

0077　湯顯祖　紫釵記二卷
繡刻演劇六十種　明末毛氏汲古閣刻實獲齋刊本（中國人民大學圖書館藏）

0078　湯顯祖　紫釵記二卷
六十種曲卯集　明汲古閣刊本（國家圖書館、臺灣大學圖書館、東吳大學圖書館藏）

2. 清以來刊本

0079　湯顯祖　湯義仍先生紫釵記二卷
玉茗堂四種曲　清初竹林堂刊本（傅惜華藏）

0080　湯顯祖　湯義仍先生紫釵記二卷二冊
臨川四夢之三　清初坊刊本（國家圖書館藏）

0081　湯顯祖　紫釵記
清臨川玉茗堂刊本

0082　湯顯祖　紫釵記二卷
玉茗堂四種傳奇　乾隆六年金閶映雪草堂刊本（上海圖書館藏）

0083　湯顯祖　紫釵記二卷
暖紅室匯刻傳劇　清光緒年間貴池劉世珩校刊本

0084　湯顯祖　紫釵記二卷
民國初年四川成都存古書局刊本

0085　湯顯祖　紫釵記四集二卷
玉茗堂四種　文立堂袖珍本（傅斯年圖書館藏）

0086　湯顯祖　校正增圖紫釵記
臨川四夢之一　揚州　江蘇廣陵古籍刻印社　1990年10月

0087　湯顯祖　紫釵記二卷
日本手抄本（臺灣大學研究圖書館藏）

3、點校本

0088　湯顯祖　繡刻紫釵記定本
六十種曲　第5套　上海　開明書店　1936年6月

六十種曲　第5套　北京　文學古籍刊行社　1955年6月
六十種曲　第5套　北京　中華書局　1958年5月；1982年8月2刷；1990年5月3刷
六十種曲　第5套　臺北　臺灣開明書店　1970年6月　臺1版

0089　湯顯祖著、錢南揚點校　紫釵記
湯顯祖集　第3冊　頁1581-1802　上海　中華書局上海編輯所　1962年11月；上海　上海人民出版社　1973年7月；臺北　洪氏出版社　1975年（樂天人文叢書）
湯顯祖戲曲集　上冊　頁1-224　上海　上海古籍出版社　1978年6月；1982年6月（中國古典文學叢書）

0090　湯顯祖著、胡士瑩校注　紫釵記
北京　人民文學出版社　362頁　1982年1月

4、選注本

⑷ 謁　鮑

0091　吳　梅　紫釵記謁鮑
曲選　卷2　頁12　上海　商務印書館　1930年11月；1932年9月國難後1版（國立中央大學叢書）

⑹ 墜　釵

0092　吳　梅　紫釵記墜釵
曲選　卷2　頁12-14　上海　商務印書館　1930年11月；1932年9月國難後1版（國立中央大學叢書）

⑻ 議　允

0093　吳　梅　紫釵記議允
曲選　卷2　頁14-16　上海　商務印書館　1930年11月；1932年9月國難後1版（國立中央大學叢書）

⒃ 花　盟

0094　吳　梅　紫釵記花盟
曲選　卷2　頁16-17　上海　商務印書館　1930年11月；1932年9月國難後1版（國立中央大學叢書）

㈤折　柳

0095　吳　梅　紫釵記折柳
曲選　卷2　頁17-19　上海　商務印書館　1930年11月；1932年9月國難後1版（國立中央大學叢書）

㈥題　詩

0096　吳　梅　紫釵記題詩
曲選　卷2　頁19-20　上海　商務印書館　1930年11月；1932年9月國難後1版（國立中央大學叢書）

㈢驚　秋

0097　吳　梅　紫釵記驚秋
曲選　卷2　頁20-21　上海　商務印書館　1930年11月；1932年9月國難後1版（國立中央大學叢書）

0098　錢南揚　紫釵記巧夕驚秋
元明清曲選　頁210-214　南京　正中書局　1936年4月；臺北　正中書局　1953年

㈣邊　愁

0099　吳　梅　紫釵記邊愁
曲選　卷2　頁21-22　上海　商務印書館　1930年11月；1932年9月國難後1版（國立中央大學叢書）

㈩泣　箋

0100　吳　梅　紫釵記泣箋
曲選　卷2　頁22　上海　商務印書館　1930年11月；1932年9月國難後1版（國立中央大學叢書）

⑷5) 工　感

0101　吳　梅　　紫釵記工感
曲選　卷2　頁22-24　上海　商務印書館　1930年11月；1932年9月國難後1版（國立中央大學叢書）

5、曲　譜

0102　葉　堂訂　　紫釵記全譜二卷二冊
玉茗堂四夢曲譜　清乾隆五十七年納書楹刊本（中央研究院傅斯年圖書館、東吳大學圖書館藏）

六、牡丹亭

1、明刊本

0103　湯顯祖　牡丹亭還魂記二卷四冊
明萬曆丁巳（四十五年）刊本（國家圖書館、北京圖書館、中國科學院圖書館藏）

0104　湯顯祖　牡丹亭還魂記二卷二冊
明萬曆丁巳（四十五年）刊本（國家圖書館、北京圖書館藏）

0105　湯顯祖　新刻牡丹亭還魂記四卷四冊
明萬曆間金陵文林閣刊本（北京圖書館藏）

0106　湯顯祖　還魂記
明萬曆間石林居士刊本

0107　湯顯祖　還魂記四卷
明萬曆間金陵唐振吾刊本（鄭振鐸藏）

0108　湯顯祖　牡丹亭還魂記二卷二冊
明萬曆刊本（卷上配另一明刊本）（北京圖書館藏）

0109　湯顯祖　牡丹亭還魂記二卷二冊
明刊本（北京圖書館藏）

0110　湯顯祖撰、沈際飛評點　牡丹亭還魂記二卷四冊
明刊玉茗堂傳奇本（北京圖書館藏）

0111　湯顯祖　牡丹亭四卷
明泰昌間刊朱墨套印本（北京圖書館藏）
古本戲曲叢刊　初集　第74種　北京　文學古籍刊行社　1954年2月
全明傳奇　第47種　台北　天一出版社　1985年

0112　湯顯祖　湯義仍先生還魂記六冊
明天啓三年刊本

0113　湯顯祖　清暉閣批點玉茗堂還魂記二卷
明天啓四年張氏著壇校刊本（首都圖書館藏）
上海　世界書局　129頁　1947年3月再版

0114　湯顯祖　牡丹亭還魂記四卷四冊
明天啓五年梁臺卿刊詞壇雙艷本（北京圖書館藏）

0115　湯顯祖撰，茅　瑛、臧懋循評　牡丹亭四卷五冊
明茅瑛刊套印本（北京圖書館藏）

0116　湯顯祖　　還魂記二卷
　　　　　　　　玉茗堂四種曲　明崇禎間獨深居點定本（傅惜華藏）
0117　湯顯祖撰、袁宏道評　批點牡丹亭記二卷四冊
　　　　　　　　明刊本（北京圖書館藏）
0118　湯顯祖　　牡丹亭還魂記二卷
　　　　　　　　明末朱元鎭校刊本（上海圖書館藏）
0119　湯顯祖　　牡丹亭記二卷
　　　　　　　　明末蒲水齋刊本（吳興周氏言言齋舊藏，今不詳歸於何處）
0120　湯顯祖　　柳浪館批評玉茗堂還魂記二卷四冊
　　　　　　　　明末柳浪館刊本（國家圖書館、鄭振鐸藏）
0121　湯顯祖　　還魂記二卷四冊
　　　　　　　　臨川四夢之三　明末吳郡書業堂翻刻六十種曲刊本（國家圖書館藏）
0122　湯顯祖　　清暉閣批點玉茗堂還魂記二卷四冊
　　　　　　　　玉茗堂四夢　明末張弘毅著壇刊本（北京圖書館藏）
0123　湯顯祖　　牡丹亭還魂記二卷四冊
　　　　　　　　明末懷德堂刊本（國家圖書館藏）
　　　　　　　　又一部
0124　湯顯祖　　還魂記定本二卷
　　　　　　　　明末汲古閣原刻初印本
0125　湯顯祖　　新刻牡丹亭還魂記四卷
　　　　　　　　繡刻演劇　明金陵書坊分刊合印本（文林閣刊）（國家圖書館藏）
0126　湯顯祖　　還魂記二卷
　　　　　　　　繡刻演劇六十種　明末毛氏汲古閣刊本（中國人民大學圖書館藏）
0127　湯顯祖　　還魂記二卷
　　　　　　　　繡刻演劇六十種　明末毛氏汲古閣刻實獲齋印本（中國人民大學圖書館藏）
0128　湯顯祖　　還魂記
　　　　　　　　六十種曲　卯集　明汲古閣刊本（國家圖書館、臺灣大學圖書館、東吳大學圖書館藏）

2、清以來刊本

0129　湯顯祖　　還魂記定本二卷一冊

清初刊本（北京圖書館藏）

0130　湯顯祖　湯義仍先生還魂記二卷
玉茗堂四種曲　清初竹林堂輯刻本（傅惜華藏）

0131　湯顯祖　牡丹亭還魂記二卷
清初刊本（臺灣大學文聯圖書館、美國國會圖書館藏）

0132　湯顯祖　湯義仍先生還魂記二卷四冊
臨川四夢之一　清初坊刊本（國家圖書館藏）

0133　湯顯祖　牡丹亭還魂記二卷
清康熙三十三年刊本（臺灣大學研究圖書館藏）

0134　湯顯祖　鈕少雅格正牡丹亭二卷六冊
清康熙三十三年胡介祉谷園刊本（北京圖書館藏）

0135　湯顯祖　鈕少雅格正牡丹亭二卷
清康熙間精鈔本（傅惜華藏）

0136　湯顯祖　才子牡丹亭不分卷四冊
清雍正間笠閣漁翁刊本（吳梅跋）（北京圖書館藏）

0137　湯顯祖　才子牡丹亭不分卷
清雍正間笠閣漁翁刊本（上海圖書館、傅惜華藏）

0138　湯顯祖　牡丹亭還魂記八卷
清雍正間芥子園刊本

0139　湯顯祖著、陳　同等評點　吳吳山三婦合評牡丹亭還魂記二卷　或問一卷（清吳儀一撰）二冊
清康熙間刻夢園印本（北京圖書館、中國科學院圖書館、中國人民大學圖書館藏）

0140　湯顯祖著、陳　同等評點　吳吳山三婦合評牡丹亭還魂記二卷四冊
清乾隆間夢園刊陳同、談則、錢宜合評本
清綠野山房刊陳同、談則、錢宜合評本
清同治九年清芬閣刊陳同、談則、錢宜合評本

0141　湯顯祖　還魂記二卷
玉茗堂四種傳奇　清乾隆六年金閶映雪堂刊本（上海圖書館藏）

0142　湯顯祖　玉茗堂還魂記二卷
清乾隆十四年冰絲館據清暉閣本增圖重刊本（臺大文聯圖書館藏）

0143　湯顯祖撰、題清笠閣漁翁箋註　箋註牡丹亭不分卷四冊
清乾隆二十七年刊本（北京圖書館藏）

0144　湯顯祖　還魂記八卷八冊

清乾隆間怡府精刊小字本（有吳梅跋）（北京圖書館藏）
0145　湯顯祖　玉茗堂還魂記二卷二冊
清乾隆五十年冰絲館刊本（吳梅批校並跋）（北京圖書館藏）
0146　湯顯祖　玉茗堂還魂記二卷二冊
清乾隆五十年冰絲館刊本（傅斯年圖書館、中國科學院圖書館藏）
0147　湯顯祖　玉茗堂還魂記二卷四冊
清乾隆五十年冰絲館刊本（北京圖書館藏）又一部
0148　湯顯祖　牡丹亭還魂記二卷四冊
清光緒十二年積山書局石印本
0149　湯顯祖　牡丹亭還魂記二卷
清光緒十二年同文書局石印本（傅斯年圖書館藏）
0150　湯顯祖　按對大元九宮詞譜格正全本還魂記詞調二卷
暖紅室彙刻傳劇　附錄　清光緒三十三年貴池劉世珩校刊本
0151　湯顯祖　玉茗堂還魂記二卷
暖紅室彙刻傳劇　第十二種　清光緒三十四年貴池劉世珩校刊本
0152　湯顯祖　牡丹亭還魂記二卷一冊
清光緒三十四年同文泳記石印本
0153　湯顯祖　玉茗堂還魂記二卷
清末民初暖紅室刊本（臺灣大學研究圖書館、臺灣師範大學、東海大學、臺灣分館藏）
0154　湯顯祖　牡丹亭還魂記
清刊巾箱本
0155　湯顯祖　牡丹亭還魂記八卷二冊
清刊本
0156　湯顯祖　校正還魂記詞調二卷
暖紅室彙刻傳劇　附錄　民國三年貴池劉氏校刊本
0157　湯顯祖原本、鈕少雅撰　還魂記詞調二卷二冊
民國八年貴池劉氏暖紅室刊本
0158　湯顯祖　玉茗堂還魂記二卷四冊
民國劉氏夢鳳樓暖紅室據清暉閣本重刊本（東吳大學藏）
0159　湯顯祖　牡丹亭還魂記四集二卷
玉茗堂四種　文立堂袖珍本（傅斯年圖書館藏）
0160　湯顯祖　繪圖牡丹亭還魂記四卷四冊
民國十五年上海掃葉山房石印本

0161　湯顯祖　牡丹亭
臺北　臺灣商務印書館　270頁　1980年（人人文庫1833-1834）
0162　湯顯祖　牡丹亭還魂記
四部叢刊廣編　第49冊　臺北　臺灣商務印書館　1981年（與絕妙好詞同冊）
0163　湯顯祖　重圖彙校牡丹亭還魂記
臨川四夢之二　揚州　江蘇廣陵古籍刻印社　1990年10月

3、點校本

0164　湯顯祖著、陶樂勤句讀　牡丹亭
上海　梁溪圖書館　2冊　1924年8月（據清暉閣本改編）
0165　湯顯祖　牡丹亭
上海　商務印書館　3冊　1933年12月（萬有文庫　第1集第837種）
上海　商務印書館　3冊　1939年9月（萬有文庫簡編）
上海　商務印書館　270頁　1934年5月（國學基本叢書）
上海　商務印書館　278頁　1936年10月3版（國學基本叢書簡編）
0166　湯顯祖著、紀蘭香標點　牡丹亭
上海　大達圖書供應社　246頁　1934年4月2版
0167　湯顯祖著、鮑賡生標點　牡丹亭
上海　新文化書社　329頁　1935年1月再版
0168　湯顯祖　繡刻還魂記定本
六十種曲　第5套　上海　開明書店　1936年6月
六十種曲　第5套　北京　文學古籍刊行社　1955年6月
六十種曲　第5套　北京　中華書局　1958年5月；1982年8月2刷；1990年5月3刷
六十種曲　第5套　臺北　臺灣開明書店　1970年6月　臺1版
0169　湯顯祖　牡丹亭
北京　文學古籍刊行社　278頁　1954年12月
0170　湯顯祖著，高步雲、蔣詠荷整理，楊蔭劉校訂　牡丹亭（簡譜版）
北京　音樂出版社　1冊　1956年
0171　湯顯祖著、徐朔方、楊笑梅校注　牡丹亭

上海　古典文學出版社　1958年4月
北京　中華書局　302頁　1959年2月新1版
北京　人民文學出版社　292頁　1963年4月
香港　中華書局香港分局　1976年5月
北京　人民文學出版社　292頁　1978年
上海　上海古籍出版社　1978年10月
臺北　西南書局　303頁　1975年4月（不題校注者）
臺北　漢京文化事業公司　1984年3月（不題校注者）
臺北　里仁書局　387頁　1995年2月（有徐朔方的〈前言〉，並增附錄四《杜麗娘慕色還魂話本》）

0172　湯顯祖著、錢南揚點校　牡丹亭
湯顯祖集　第3冊　頁1803-2079　上海　中華書局上海編輯所　1962年11月；上海　上海人民出版社　1973年7月；臺北　洪氏出版社（樂天人文叢書）
湯顯祖戲曲集　上冊　頁225-501　上海　上海古籍出版社　1978年6月；1982年6月（中國古典文學叢書）

0173　湯顯祖　牡丹亭
中國四大古典名劇　杭州　浙江古籍出版社　1989年

0174　湯顯祖著、余爲民校注　牡丹亭校注
臺北　華正書局　431頁　1996年1月

0175　王思任、王文治評點，張秀芬校　牡丹亭
石家莊　花山文藝出版社　1996年

4、改定本

0176　湯顯祖著、臧懋循訂　還魂記二卷四冊
臨川四夢之一　明刊本（國家圖書館藏）

0177　湯顯祖撰、徐順穎刪潤、陳繼儒評　玉茗堂丹青記二卷四冊
明刊本（北京圖書館藏）

0178　湯顯祖著、龍子猶（馮夢龍）更定　墨憨齋重定三會親風流夢二卷　明末刊本（北京圖書館藏）
古本戲曲叢刊　初集　第75種　北京　文學古籍刊行社　1954年2月
墨憨齋定本傳奇　下冊　北京　中國戲劇出版社　1960年4月

0179　湯顯祖著、碩園刪定　還魂記二卷
繡刻演劇六十種　明末毛氏汲古閣刊本（中國人民大學圖書

館藏）

0180 湯顯祖著、碩園刪定 還魂記二卷
繡刻演劇六十種 明末毛氏汲古閣刻實獲齋印本（中國人民大學圖書館藏）

0181 湯顯祖著、呂碩園刪定 碩園刪定牡丹亭
六十種曲 第5套 上海 開明書店 1936年6月
六十種曲 第5套 北京 文學古籍刊行社 1955年6月
六十種曲 第5套 北京 中華書局 1958年5月；1982年8月2刷；1990年5月3刷
六十種曲 第5套 臺北 臺灣開明書店 1970年6月 臺1版

5、選注本

(7) 閨 塾

0182 錢德蒼增輯 牡丹亭學堂
改良全圖綴白裘十二集全傳 第4集 卷2 上海 廣雅書局
綴白裘 第4集 第2卷 頁97-107 臺北 臺灣中華書局 1967年12月
綴白裘 第4編 頁1585-1602 臺北 臺灣學生書局 1987年11月（善本戲曲叢刊 第5輯）

0183 趙景深、胡 忌選注 牡丹亭閨塾
明清傳奇 頁46-50 上海 春明出版社 1955年6月

0184 趙景深、胡 忌選注 牡丹亭閨塾
明清傳奇選 頁47-55 北京 中國青年出版社 1957年11月；1981年1月第2版

0185 胡 忌選注 牡丹亭閨塾
古代戲曲選注 頁34-41 北京 中華書局 1962年8月

0186 佚 名 牡丹亭第七齣閨塾
中國歷代戲曲選 頁802-811 臺北 宏業書局 1990年7月再版
元明清戲劇選 頁802-811 臺北 學海出版社 1979年1月

0187 隗 芾選注 牡丹亭閨塾
元明清戲曲選 頁288-295 長春 吉林人民出版社 1981年11月

0188 馮金起　牡丹亭第七齣閨塾
明代戲曲選注　頁77-85　上海　上海古籍出版社　1983年9月

0189 曾永義選注　牡丹亭閨塾
中國古典戲劇選注　頁843-854　臺北　國家出版社　1983年12月

0190 王　起選注　牡丹亭第七齣閨塾
中國戲曲選（中）頁687-694　北京　人民文學出版社　1985年12月

0191 賴橋本選注　牡丹亭第七齣閨塾
劇曲選注　頁117-127　臺北　臺灣學生書局　1985年10月；1993年9月增訂版

0192 王　瑩選注　牡丹亭閨塾
中國文學作品選（二）　頁191-199　北京　北京大學出版社　1986年6月

0193 鄧魁英主編　牡丹亭閨塾
中國古代文學作品選（金元明部分）頁297-303　北京　北京師範大學出版社　1987年5月

0194 北京大學中文系古代文學教研室選編　牡丹亭第七齣閨塾
中國文學史參考資料簡編（下冊）頁504-509　北京　北京大學出版社　1989年11月

0195 夏傳才主編　牡丹亭閨塾
中國古典文學精粹選讀（下冊）頁193-198　北京　語文出版社　1995年5月

(8) 勸　農

0196 錢德蒼增輯　牡丹亭勸農
改良全圖綴白裘十二集全傳　第5集　卷3　上海　廣雅書局
綴白裘　第5集　第3卷　頁130-136　臺北　臺灣中華書局　1967年12月
綴白裘　第5編　頁2113-2124　臺北　臺灣學生書局　1987年11月（善本戲曲叢刊　第5輯）

(10) 驚　夢

0197 錢德蒼增輯 牡丹亭游園驚夢
改良全圖綴白裘十二集全傳 第4集 卷2 上海 廣雅書局
綴白裘 第4集 第2卷 頁107-114 臺北 臺灣中華書局 1967年12月
綴白裘 第4編 頁1603-1616 臺北 臺灣學生書局 1987年11月（善本戲曲叢刊 第5輯）

0198 吳 梅 還魂驚夢
曲選 卷2 頁1-2 上海 商務印書館 1930年11月；1932年9月國難後1版（國立中央大學叢書）

0199 錢南揚 還魂記驚夢
元明清曲選 頁205-210 南京 正中書局 1936年4月；臺北 正中書局 1953年

0200 佚 名 牡丹亭第十齣驚夢
中國歷代戲曲選 頁811-820 臺北 宏業書局 1990年7月再版
元明清戲劇選 頁802-811 臺北 學海出版社 1979年1月

0201 隗 芾選注 牡丹亭驚夢
元明清戲曲選 頁296-298 長春 吉林人民出版社 1981年11月

0202 羅錦堂選注 還魂記遊園驚夢
明清傳奇選注 頁120-148 臺北 聯經出版事業公司 1982年11月

0203 馮金起 牡丹亭第十齣驚夢
明代戲曲選注 頁85-90 上海 上海古籍出版社 1983年9月

0204 曾永義選注 牡丹亭驚夢
中國古典戲劇選注 頁854-863 臺北 國家出版社 1983年12月

0205 王 起選注 牡丹亭第十齣驚夢
中國戲曲選（中） 頁694-702 北京 人民文學出版社 1985年12月

0206 賴橋本選注 牡丹亭第十齣驚夢
劇曲選注 頁127-137 臺北 臺灣學生書局 1985年10月；1993年9月增訂版

0207 王 瑩選注 牡丹亭驚夢
中國文學作品選（二） 頁200-211 北京 北京大學出版社

1986年6月

0208 北京大學中文系古代文學教研室選編 牡丹亭第七齣驚夢
中國文學史參考資料簡編（下冊） 頁509-515 北京 北京大學出版社 1989年11月

0209 李崇遠選注 牡丹亭第十齣驚夢
歷代曲選注 頁293-309 臺北 里仁書局 1994年11月

0210 宋綿有 牡丹亭第十齣游園
元明清戲曲賞析 頁167-177 天津 南開大學出版社 1985年10月

0211 趙景深、胡 忌選注 牡丹亭游園
明清傳奇選 頁55-59 北京 中國青年出版社 1957年11月；1981年1月第2版

0212 胡 忌選注 牡丹亭游園
古代戲曲選注 頁41-48 北京 中華書局 1962年8月

0213 鄧魁英主編 牡丹亭游園
中國古代文學作品選（金元明部分）頁303-307 北京 北京師範大學出版社 1987年5月

0214 夏傳才主編 牡丹亭游園
中國古典文學精粹選讀（下冊）頁198-201 北京 語文出版社 1995年5月

⑿ 尋 夢

0215 錢德蒼增輯 牡丹亭尋夢
改良全圖綴白裘十二集全傳 第4集 卷2 上海 廣雅書局
綴白裘 第4集 第2卷 頁115-121 臺北 臺灣中華書局 1967年12月
綴白裘 第4編 頁1617-1626 臺北 臺灣學生書局 1987年11月（善本戲曲叢刊 第5輯）

0216 吳 梅 還魂尋夢
曲選 卷2 頁2-4 上海 商務印書館 1930年11月；1932年9月國難後1版（國立中央大學叢書）

0217 隗 芾選注 牡丹亭尋夢
元明清戲曲選 頁299-307 長春 吉林人民出版社 1981年11月

0218 馮金起 牡丹亭第十二齣尋夢

明代戲曲選注　頁90-100　上海　上海古籍出版社　1983年9月

0219　王　起選注　牡丹亭第十二齣尋夢
中國戲曲選（中）頁702-710　北京　人民文學出版社　1985年12月

⒁ 寫　眞

0220　吳　梅　還魂寫眞
曲選　卷2　頁4-5　上海　商務印書館　1930年11月；1932年9月國難後1版（國立中央大學叢書）

0221　王　起選注　牡丹亭第十四齣寫眞
中國戲曲選（中）頁710-715　北京　人民文學出版社1985年12月

⒅ 診　祟

0222　吳　梅　還魂診祟
曲選　卷2　頁5-6　上海　商務印書館　1930年11月；1932年9月國難後1版（國立中央大學叢書）

⒇ 鬧　殤

0223　錢德蒼增輯　牡丹亭離魂
改良全圖綴白裘十二集全傳　第12集　卷1　上海　廣雅書局
綴白裘　第12集　第1卷　頁31-38　臺北　臺灣中華書局　1967年12月
綴白裘　第12編　頁4965-4976　臺北　臺灣學生書局　1987年11月（善本戲曲叢刊　第5輯）

0224　吳　梅　還魂鬧殤
曲選　卷2　頁6-7　上海　商務印書館　1930年11月；1932年9月國難後1版（國立中央大學叢書）

0225　王　起選注　牡丹亭第二十齣鬧殤
中國戲曲選（中）頁715-724　北京　人民文學出版社　1985年12月

⑵④ 拾　畫

0226　吳　梅　還魂拾畫
曲選　卷2　頁7-8　上海　商務印書館　1930年11月；1932年9月國難後1版（國立中央大學叢書）

⑵⑥ 玩　眞

0227　吳　梅　還魂玩眞
曲選　卷2　頁8-9　上海　商務印書館　1930年11月；1932年9月國難後1版（國立中央大學叢書）

0228　馮金起　牡丹亭第二十六齣玩眞
明代戲曲選注　頁100-106　上海　上海古籍出版社　1983年9月

⑷⓪ 僕　偵

0229　錢德蒼增輯　牡丹亭問路
改良全圖綴白裘十二集全傳　第12集　卷1　上海　廣雅書局
綴白裘　第12集　第1卷　頁38-49　臺北　臺灣中華書局　1967年12月
綴白裘　第12編　頁4977-4994　臺北　臺灣學生書局　1987年11月（善本戲曲叢刊　第5輯）

⑸⓪ 鬧　宴

0230　吳　梅　還魂鬧宴
曲選　卷2　頁9-10　上海　商務印書館　1930年11月；1932年9月國難後1版（國立中央大學叢書）

⑸③ 硬　拷

0231　錢德蒼增輯　牡丹亭弔打
改良全圖綴白裘十二集全傳　第12集　卷1　上海　廣雅書局
綴白裘　第12集　第1卷　頁49-58　臺北　臺灣中華書局　1967年12月
綴白裘　第12編　頁4995-5010　臺北　臺灣學生書局　1987

年11月（善本戲曲叢刊　第5輯）

⑸⑸ 圓　駕

0232　錢德蒼增輯　牡丹亭圓駕
改良全圖綴白裘十二集全傳　第4集　卷2　上海　廣雅書局
綴白裘　第4集　第2卷　頁121-135　臺北　臺灣中華書局　1967年12月
綴白裘　第4編　頁1627-1650　臺北　臺灣學生書局　1987年11月（善本戲曲叢刊　第5輯）

6、曲　　譜

0233　馮起鳳訂　吟香堂曲譜牡丹亭二卷
清乾隆五十四年刊本
0234　葉　堂訂　牡丹亭全譜二卷二冊
玉茗堂四夢曲譜　清乾隆五十七年納書楹刊本（東吳大學圖書館藏）
0235　張　芬訂　牡丹亭曲譜二卷
上海　朝記書莊石印本　1921年
0236　賴橋本選　牡丹亭遊園
劇曲選注　頁187-194　臺北　臺灣學生書局　1985年10月；1993年9月增訂版
0237　賴橋本選　牡丹亭驚夢
劇曲選注　頁195-212　臺北　臺灣學生書局　1985年10月；1993年9月增訂版

7、外文譯本

0238　湯臨川著，鈴木彥次郎、佐佐木靜光譯　牡丹亭還魂記
支那文學大觀　第2、3冊　東京　支那文學大觀刊行會　1926-1927年
0239　湯顯祖著、宮原民平譯著　還魂記
國譯漢文大成　文學部　第10卷　東京　國民文庫刊行會　1920-24年
國譯漢文大成　第37-38冊　東京　國民文庫刊行會　1956年

0240 Hundhausen,Vincenz. Der Blumengarten,牡丹亭.Ein chinesisches singspiel in deutscher Sprache. Peking: Pekinger Verlag, 1933. 138p.front.illus.

0241 Hundhausen,Vincenz. Die Ruckkehr der Seele.Ein romantisches Drama in deutscher Sprache.Zurich und Leipzig,1937.

0242 Hundhausen,Vincenz. Das Urteil in der zehnten Holle in deutscher Sprache. Peking: Pekinger Verlag,1937.38p.

0243 Tang Xianzu. Trans. Cyril Birch. *The Peony Pavilion*（*Mudan Ting*）.
Bloomington: Indiana University Press.,1980.

0244 West,Stephen H. "*The Peony Pavilion*[Book Review]."
The Journal of Asian Studies, 42:4 (1983),pp.944-945.

七、南柯記

1、明刊本

0245　湯顯祖　鐫玉茗堂新編全相南柯夢記
明萬曆間金陵唐振吾刊本（神田喜一郎藏）

0246　湯顯祖　南柯夢二卷
明萬曆間刊本（鄭振鐸藏）
古本戲曲叢刊　初集　第79種　北京　文學古籍刊行社　1954年2月
全明傳奇　第50種　臺北　天一出版社　1985年

0247　湯顯祖　南柯夢二卷二冊（十行二十字）
明萬曆刊本（北京圖書館藏）

0248　湯顯祖　南柯夢二卷二冊
明萬曆刊本（北京圖書館藏）

0249　湯顯祖　南柯夢二卷二冊
明刊玉茗堂全集本（北京圖書館藏）

0250　湯顯祖著、臧懋循訂　南柯記二卷四冊
臨川四夢之四　明刊本（國家圖書館藏）

0251　湯顯祖　南柯夢二卷二冊
明刊本（國家圖書館藏）

0252　湯顯祖　南柯記三卷三冊
明末朱墨套印本（國家圖書館、北京圖書館藏）

0253　湯顯祖　南柯記二卷四冊
臨川四夢之四　明末吳郡書業堂翻刻六十種曲刊本（國家圖書館藏）

0254　湯顯祖　南柯夢二卷
玉茗堂四種曲　崇禎獨深居點定本（傅惜華藏）

0255　湯顯祖　柳浪館批評玉茗堂南柯夢記二卷
柳浪館刊本（北京圖書館藏）

0256　湯顯祖　南柯記二卷
明末張弘毅著壇刊本（北京圖書館藏）

0257　湯顯祖　湯義仍先生南柯夢記二卷
玉茗堂四種傳奇　明末刊本（中國人民大學圖書館藏）

0258　湯顯祖　湯義仍先生南柯夢記二卷二冊

明末刊本（北京圖書館藏）

0259　湯顯祖　南柯記定本二卷
明末汲古閣原刻初印本

0260　湯顯祖　南柯記二卷
繡刻演劇六十種　明末毛氏汲古閣刊本（中國人民大學圖書館藏）

0261　湯顯祖　南柯記二卷
繡刻演劇六十種　明末毛氏汲古閣刻實獲齋印本（中國人民大學圖書館藏）

0262　湯顯祖　南柯記
六十種曲　卯集　明汲古閣刊本（國家圖書館、臺灣大學圖書館、東吳大學圖書館藏）

2、清以來刊本

0263　湯顯祖　湯義仍先生南柯夢記二卷
玉茗堂四種曲　清初竹林堂輯刻本（傅惜華藏）

0264　湯顯祖　湯義仍先生南柯記二卷二冊
臨川四夢之四　清初坊刊本（國家圖書館藏）

0265　湯顯祖　南柯記二卷
玉茗堂四種傳奇　清乾隆六年金閶映雪草堂刊本

0266　湯顯祖　玉茗堂南柯記二卷
暖紅室彙刻傳奇　第13種　民國八年貴池劉世珩校刊本（據獨深居本重刻）

0267　湯顯祖　南柯記二卷
重編暖紅室彙刻傳劇　第15種　貴池劉世珩校刊本　臺北華正書局　1974年8月

0268　湯顯祖　南柯記傳奇四集二卷
玉茗堂四種　文立堂袖珍本（傅斯年圖書館藏）

0269　湯顯祖　校正增圖南柯記
臨川四夢之三　揚州　江蘇廣陵古籍刻印社　1990年10月

0270　湯顯祖　南柯夢記二卷
日本手抄本（臺灣大學研究圖書館藏）

3、.點校本

0271　湯顯祖　繡刻南柯記定本
六十種曲　第5套　上海　開明書店　1936年6月
六十種曲　第5套　北京　文學古籍刊行社　1955年6月
六十種曲　第5套　北京　中華書局　1958年5月；1982年8月2刷；1990年5月3刷
六十種曲　第5套　臺北　臺灣開明書店　1970年6月　臺1版

0272　湯顯祖著、中山大學中文系五五級明清傳奇校勘小組整理　南柯記北京　中華書局　1960年9月

0273　湯顯祖著、錢南揚點校　南柯夢記
湯顯祖集　第4冊　頁2081-2276　上海　中華書局上海編輯所　1962年11月；上海　上海人民出版社　1973年7月；臺北　洪氏出版社　1975年（樂天人文叢書）
湯顯祖戲曲集　下冊　頁503-698　上海　上海古籍出版社　1978年6月；1982年6月（中國古典文學叢書）

0274　湯顯祖著、錢南揚校注　南柯夢記
北京　人民文學出版社　1981年7月

0275　湯顯祖　傳奇曲本南柯記
臺北　文光圖書公司　1冊　1975年

4、選注本

(2) 俠　概

0276　吳　梅　南柯俠概
曲選　卷2　頁31-32　上海　商務印書館　1930年11月；1932年9月國難後1版（國立中央大學叢書）

(10) 就　徵

0277　吳　梅　南柯就徵
曲選　卷2　頁32-33　上海　商務印書館　1930年11月；1932年9月國難後1版（國立中央大學叢書）

(15) 侍　獵

0278 吳 梅 南柯侍獵
曲選 卷2 頁33-34 上海 商務印書館 1930年11月；1932年9月國難後1版（國立中央大學叢書）

⑵2 之 郡

0279 吳 梅 南柯之郡
曲選 卷2 頁34-35 上海 商務印書館 1930年11月；1932年9月國難後1版（國立中央大學叢書）

⑵5 玩 月

0280 吳 梅 南柯玩月
曲選 卷2 頁35 上海 商務印書館 1930年11月；1932年9月國難後1版（國立中央大學叢書）

⑵8 雨 陣

0281 吳 梅 南柯雨陣
曲選 卷2 頁35-36 上海 商務印書館 1930年11月；1932年9月國難後1版（國立中央大學叢書）

⑷2 尋 寤

0282 吳 梅 南柯尋寤
曲選 卷2 頁36-37 上海 商務印書館 1930年11月；1932年9月國難後1版（國立中央大學叢書）

5、曲 譜

⑵ 俠 概

0283 葉 堂訂 南柯記全譜二卷二冊
玉茗堂四夢曲譜 清乾隆五十七年納書楹刊本（中央研究院傅斯年圖書館、東吳大學圖書館藏）

八、邯鄲記

1、明刊本

0284 湯顯祖 邯鄲夢二卷二冊
明萬曆刊本（北京圖書館藏）

0285 湯顯祖 邯鄲夢三卷、枕中記一卷四冊
明天啓元年刊朱墨套印本（北京圖書館藏）
古本戲曲叢刊 初集 第78種 北京 文學古籍刊行社 1954年2月
全明傳奇 第49種 臺北 天一出版社 1985年

0286 湯顯祖 柳浪館批評玉茗堂邯鄲記二卷
明末柳浪館刊本（神田喜一郎藏）

0287 湯顯祖 邯鄲記二卷二冊
明刊本（國家圖書館藏）

0288 湯顯祖 邯鄲夢二卷
玉茗堂四種曲 明崇禎間獨深居點定本（傅惜華藏）

0289 湯顯祖 邯鄲記二卷
玉茗堂四夢 明末張弘毅著壇刊本（北京圖書館藏）

0290 湯顯祖 湯義仍先生邯鄲記二卷二冊
明末刊本（北京圖書館藏）

0291 湯顯祖 邯鄲記定本二卷
明末汲古閣原刻初印本

0292 湯顯祖 邯鄲記二卷
繡刻演劇六十種 明末毛氏汲古閣刊本（中國人民大學圖書館藏）

0293 湯顯祖 邯鄲記二卷
繡刻演劇六十種 明末毛氏汲古閣刻實獲齋印本（中國人民大學圖書館藏）

0294 湯顯祖 邯鄲記
六十種曲 卯集 明汲古閣刊本（國家圖書館、臺灣大學圖書館、東吳大學圖書館藏）

2、清以來刊本

0295　湯顯祖　　湯義仍先生邯鄲夢記二卷
玉茗堂四種曲　清初竹林堂輯刻本（傅惜華藏）

0296　湯顯祖　　湯義仍先生邯鄲記二卷二冊
清玉茗堂刊本

0297　湯顯祖　　邯鄲記二卷
玉茗堂四種傳奇　乾隆六年金閶映雪堂刊本（上海圖書館藏）

0298　湯顯祖　　邯鄲記二卷二冊
清刊本

0299　湯顯祖　　邯鄲記傳奇二卷二冊
清刊巾箱本

0300　湯顯祖　　邯鄲記
暖紅室彙刻傳劇　貴池劉世珩校刊本

0301　湯顯祖　　邯鄲夢傳奇四集二卷
玉茗堂四種　文立堂袖珍本（傅斯年圖書館藏）

0302　湯顯祖　　校正增圖邯鄲記
臨川四夢之四　揚州　江蘇廣陵古籍刻印社　1990年10月

0303　湯顯祖　　邯鄲夢記二卷
日本手抄本（臺灣大學研究圖書館藏）

3、點校本

0304　湯顯祖　　繡刻邯鄲記定本
六十種曲　第5套　上海　開明書店　1936年6月
六十種曲　第5套　北京　文學古籍刊行社　1955年6月
六十種曲　第5套　北京　中華書局　1958年5月；1982年8月2刷；1990年5月3刷
六十種曲　第5套　臺北　臺灣開明書店　1970年6月　臺1版

0305　湯顯祖著、中山大學中文系五六級明清傳奇校勘小組整理　邯鄲記北京中華書局　101頁　1960年2月

0306　湯顯祖著、錢南揚點校　邯鄲夢記
湯顯祖集　第4冊　頁2277-2422　上海　中華書局上海編輯所　1962年11月；上海　上海人民出版社　1973年7月；臺北　洪氏出版社　1975年（樂天人文叢書）
湯顯祖戲曲集　下冊　頁769-854　上海　上海古籍出版社　1978年6月；1982年6月（中國古典文學叢書）

4、改定本

0307　湯顯祖著、龍子猶（馮夢龍）更定　墨憨齋重定邯鄲夢傳奇
墨憨齋定本傳奇　下冊　北京　中國戲劇出版社　1960年4月

5、選注本

⑷入　夢

0308　吳　梅　邯鄲入夢
曲選　卷2　頁24-26　上海　商務印書館　1930年11月；1932年9月國難後1版（國立中央大學叢書）

⒁東　巡

0309　吳　梅　邯鄲東巡
曲選　卷2　頁26-27　上海　商務印書館　1930年11月；1932年9月國難後1版（國立中央大學叢書）

⒅閨　喜

0310　吳　梅　邯鄲閨喜
曲選　卷2　頁27-28　上海　商務印書館　1930年11月；1932年9月國難後1版（國立中央大學叢書）

㉓織　恨

0311　吳　梅　邯鄲織恨
曲選　卷2　頁28-29　上海　商務印書館　1930年11月；1932年9月國難後1版（國立中央大學叢書）

㉕召　還

0312　王　起選注　邯鄲記第二十五齣召還
中國戲曲選（中）　頁730-735　北京　人民文學出版社1985年12月

㉙ 生 寤

0313 吳 梅 邯鄲生寤
曲選 卷2 頁29-31 上海 商務印書館 1930年11月；1932年9月國難後1版（國立中央大學叢書）

0314 王 起選注 邯鄲記第二十九齣生寤
中國戲曲選（中）頁735-745 北京 人民文學出版社 1985年12月

6、曲 譜

0315 葉 堂訂 邯鄲記全譜二卷
玉茗堂四夢曲譜 清乾隆五十七年納書楹刊本（中央研究院傅斯年圖書館、東吳大學圖書館藏）

九、評點作品

1、總　集

0316　湯顯祖　　湯許二會元制義不分卷五冊
明萬曆間刊本（國家圖書館藏）

2、詞　曲

0317　趙崇祚編、湯顯祖評　花間集四卷四冊
明萬曆庚申（四十八年）刊本（國家圖書館藏）

0318　趙崇祚編、湯顯祖評　花間集四卷二冊
明末期烏程閔氏刊朱墨套印本（國家圖書館藏）

0319　趙崇祚編、湯顯祖評　花間集三卷三冊
明萬曆間朱墨套印本（傅斯年圖書館藏）

0320　趙崇祚編、湯顯祖評　花間集四卷二冊
明金閶世裕堂刊本（傅斯年圖書館藏）

0321　文壽承、何元朗、張雄飛校閱　臨川湯義仍批訂　玉茗堂董西廂
明刊本

0322　董解元著、湯顯祖評　董解元西廂四卷
上海　商務印書館　314頁　1937年3月（萬有文庫　第2集第50種）
上海　商務印書館　314頁　1939年12月（萬有文庫簡編）
上海　商務印書館　314頁　1940年12月（國學基本叢書）

0323　董解元著、湯顯祖評　董解元西廂
臺北　臺灣商務印書館　314頁　1970年（人人文庫特45）

0324　王實甫撰、關漢卿續、湯顯祖評　西廂會眞傳五卷附元稹會眞記一卷四冊
明末朱墨藍三色套印本（國家圖書館藏）

0325　王實甫撰、湯顯祖、李　贄、徐　渭合評　三先生合評元本北西廂五卷附元稹會眞記一卷四冊
明末刊本（國家圖書館藏）

0326　佚　名撰、湯顯祖批評　玉茗堂批評新著續西廂升仙記二卷附釋義二卷
古本戲曲叢刊初集　第48種　北京　文學古籍刊行社　1954年2月

0327　阮大鋮撰、湯顯祖評　懷德堂批點燕子箋二卷四冊

明末刊本（國家圖書館藏）

0328　王玉峰撰、湯顯祖批訂　新刻玉茗堂批評焚香記二卷
古本戲曲叢刊初集　第55種　北京　文學古籍刊行社　1954年2月

0329　周朝俊撰、湯顯祖批訂　玉茗堂批評紅梅記二卷
明刊本（北京圖書館藏）
古本戲曲叢刊初集　第89種　北京　文學古籍刊行社　1954年2月

0330　許自昌改訂、湯顯祖批訂　玉茗堂批評節俠記二卷
明刊本（北京圖書館藏）
古本戲曲叢刊初集　第95種　北京　文學古籍刊行社　1954年2月

0331　汪廷納撰、湯顯祖批訂　玉茗堂批評種玉記二卷
古本戲曲叢刊二集　第16種　北京　文學古籍刊行社　1955年7月

0332　佚　名撰、湯顯祖批訂　玉茗堂批評異夢記二卷
古本戲曲叢刊二集　第47種　北京　文學古籍刊行社　1955年7月

0333　袁于令撰、題湯顯祖評　臨川玉茗堂批評西樓記二卷一冊
明末刊本（北京圖書館藏）
又一部　四冊（北京圖書館藏）

0334　玉茗堂主人點輯　萬錦嬌麗不分卷附新勸世傳奇不分卷
明刊本（臺灣大學圖書館藏）

0335　玉茗堂主人點輯　听秋軒精選萬錦嬌麗
善本戲曲叢刊　第2輯　第7種　臺北　臺灣學生書局　1984年

3、小　說

0336　湯顯祖評選、鍾人杰校閱　續虞初志四卷
明萬曆間刊本（美國國會圖書館藏）

0337　湯顯祖續　虞初志八卷續虞初志四卷十冊
明末葉錢塘鍾人傑刊本（國家圖書館藏）

0338　徐　渭撰、湯顯祖評　京本雲合奇蹤二十卷十冊
明萬曆間坊刊本（國家圖書館藏）

0339　羅　本撰、李　贄評　鐫玉茗堂批點殘唐五代史演義傳六卷

清刊本（中國科學院圖書館藏）

0340　研石山樵訂正　新鐫玉茗堂批點按鑑參補楊家將傳五十回卷
明萬曆四十六年鄭五雲堂刊本（東北師範大學圖書館藏）

0341　湯顯祖評、研石山樵訂正　新鐫玉茗堂批點按鑑參補楊家將傳十卷十冊
明末刊本（國家圖書館藏）

0342　熊大木撰　新鐫玉茗堂批點按鑑參補南北宋志傳二十卷
明萬曆四十六年鄭五雲堂刊本（東北師範大學圖書館藏）

0343　湯顯祖評、研石山樵訂正　新鐫玉茗堂批點按鑑參補南北宋志傳二十卷二十冊
清初翻明萬曆間刊本（國家圖書館藏）

0344　湯顯祖批點、研石山樵訂正　新鐫玉茗堂批點按鑑參補北宋志傳十卷八冊
明萬曆戊午（四十六年）刊本（國家圖書館藏）

0345　王世貞撰、湯顯祖續并批點　豔異編四十卷續編十九卷三十二冊
明萬曆間刊本（國家圖書館藏）

0346　王世貞撰、湯顯祖續并批點　豔異編四十卷續編十九卷二十四冊
明玉溪書舫刊本（國家圖書館藏）

0347　王世貞撰、湯顯祖批點　新鐫玉茗堂批點王弇州先生豔異編四十卷十二冊
明末刊本（國家圖書館藏）

0348　王世貞撰、湯顯祖續并批點　新鐫玉茗堂批點王弇州先生豔異編四十卷續編十九卷八冊
明末刊本（國家圖書館藏）

0349　王世貞撰、湯顯祖評　新鐫玉茗堂批點王弇州先生豔異編二十五卷
明末刊本（傅斯年圖書館藏）

十、其　他

0350 湯顯祖　陰符經解一卷
說郛　續弓　第30　清順治三年兩浙督學周南、李際期宛委山堂刊本（國家圖書館、臺灣大學圖書館藏）

0351 陸　羽撰、湯顯祖訂　茶經三卷一冊
明刊本（國家圖書館藏）

下編　後人研究論著

一、傳記與年譜

(一) 傳　記

1.傳　略

0352　趙景深、張增元　方志著錄湯顯祖傳記資料
方志著錄元明清曲家傳略　頁91-95　北京　中華書局　1987年2月

0353　鄒迪光　湯義仍先生傳
調象菴稿　卷33　明萬曆刊本
湯顯祖研究資料彙編（上）　頁80-84　上海　上海古籍出版社　1986年9月

0354　鄒迪光　臨川湯先生傳
玉茗堂文集（沈際飛輯）　卷首　明刊本
湯顯祖集　第2冊　頁1511-1514　上海　中華書局上海編輯所　1962年7月；上海　上海人民出版社　1973年7月；臺北　洪氏出版社　1975年

0355　過廷訓　湯顯祖傳
本朝分省人物考　卷61　明天啓間原刊本
湯顯祖研究資料彙編（上）　頁84-85　上海　上海古籍出版社　1986年9月

0356　錢謙益　湯遂昌顯祖小傳
列朝詩集小傳　丁集中　臺北　世界書局　1961年
湯顯祖研究資料彙編（上）　頁85-87　上海　上海古籍出版社　1986年9月
明代傳記叢刊　第11冊　列朝詩集小傳　頁602　臺北明文書局　1991年10月
湯顯祖集　第2冊　頁1515-1517　上海　中華書局上海編輯所　1962年7月；上海　上海人民出版社　1973年7月；臺北

洪氏出版社　1975年

0357　查繼佐　湯顯祖傳
罪惟錄　列傳卷18　民國間涵芬樓影印吳興劉氏嘉業堂藏手稿本；臺北　藝文印書館影印手稿本　1964年；四部叢刊廣編本　臺北　臺灣商務印書館　1981年；四部叢刊三編　上海　上海書店　1985年；筆記小說大觀　第45編　臺北　新興書局　1987年；明代傳記叢刊　第86冊　頁441　臺北　明文書局　1991年10月；中國野史集成　成都　巴蜀書社　1993年
湯顯祖研究資料彙編（上）　頁87-88　上海　上海古籍出版社　1986年9月
湯顯祖集　第2冊　頁1517-1518　上海　中華書局上海編輯所　1962年7月；上海　上海人民出版社　1973年7月；臺北　洪氏出版社　1975年

0358　佚　名　湯顯祖傳
撫州府志　卷17　明崇禎7年刊本

0359　朱彝尊　湯顯祖
明代傳記叢刊　第9冊　靜志居詩話（二）　頁473　臺北明文書局　1991年10月

0360　萬斯同　湯顯祖傳
湯顯祖研究資料彙編（上）　頁89-90　上海　上海古籍出版社　1986年9月

0361　王鴻緒　湯顯祖傳
明代傳記叢刊　第96冊　明史稿列傳　頁545　臺北　明文書局　1991年10月

0362　徐乾學　湯顯祖傳
明史列傳　卷84　頁7下　舊鈔本
明代傳記叢刊　第94冊　徐本明史列傳　頁178　臺北　明文書局　1991年10月

0363　張廷玉　湯顯祖傳
明史　卷230　北京　中華書局　1974年4月
明史　卷230　臺北　鼎文書局　1975年
湯顯祖研究資料彙編（上）　頁91-92　上海　上海古籍出版社　1986年9月
湯顯祖集　第2冊　頁1514-1515　上海　中華書局上海編輯所　1962年7月；上海　上海人民出版社　1973年7月；臺北

洪氏出版社　1975年

0364　佚　名　湯顯祖
影印文淵閣四庫全書　第479冊　大清一統志　卷247　頁660　臺北　臺灣商務印書館　1983年
影印文淵閣四庫全書　第482冊　大清一統志　卷349　頁239　臺北　臺灣商務印書館　1983年

0365　佚　名　湯顯祖
影印文淵閣四庫全書　第523冊　浙江通志　卷157　頁249　臺北　臺灣商務印書館　1983年

0366　佚　名　湯顯祖
影印文淵閣四庫全書　第515冊　江西通志　卷82　頁799　臺北　臺灣商務印書館　1983年

0367　陳　田　湯顯祖
國學基本叢書　明詩記事　臺北　臺灣商務印書館　1968年
歷代詩史長編　第2輯　明詩記事　臺北　鼎文書局　1971年2版
明詩記事　上海　上海古籍出版社　1993年
明代傳記叢刊　第14冊　明詩記事（三）　頁848　臺北　明文書局　1991年10月

0368　蔣士銓　玉茗先生傳
臨川夢　卷首　清乾隆間刊紅雪樓九種曲本
臨川夢　附錄一　頁214-216　上海　上海古籍出版社　1989年5月
湯顯祖研究資料彙編（上）　頁92-94　上海　上海古籍出版社　1986年9月

0369　佚　名　湯顯祖傳
安徽通志　卷364　清光緒4年刊本
湯顯祖研究資料彙編（上）　頁94　上海　上海古籍出版社　1986年9月

0370　佚　名　湯顯祖傳
乾隆遂昌縣志　卷5　清乾隆30年刊本
湯顯祖研究資料彙編（上）　頁95-96　上海　上海古籍出版社　1986年9月

0371　佚　名　湯顯祖傳
同治臨川縣志　卷42　清同治9年序縣學尊經閣刊本

0372　佚　名　湯顯祖傳

光緒撫州府志　卷59　光緒2年刊本
湯顯祖集　第2冊　頁1518　上海　中華書局上海編輯所1962年7月；上海　上海人民出版社　1973年7月；臺北　洪氏出版社　1975年

0373　佚　名　湯顯祖傳
宣統徐聞縣志　卷9　清宣統3年修民國25年刊本
湯顯祖研究資料彙編（上）　頁95　上海　上海古籍出版社　1986年9月

0374　八木澤元　湯臨川を繞る骨肉の人人
斯文　第14編3號　頁53-61　1932年3月

0375　張再蘇　鄉賢湯顯祖先生傳評
江西圖書館刊　第3期　1935年7月

0376　Fang Chao-ying. "T'ang Hsien-tsu." In Arthur W. Hummel,ed., *Eminent Chinese of the Ch'ing Period*(1644-1912). 2 vols. Washington,D.C.:U.S. Government Printing Office, 1943-1944, pp.708-709.
臺北　成文出版社影印本　1970年5月

0377　八木澤元　湯顯祖
中華六十名家言行錄　東京　弘文堂　1948年

0378　李日剛　湯顯祖
中國文學史論集（三）　頁909-941　臺北　中華文化出版事業委員會　1958年4月

0379　徐朔方　湯顯祖評傳
北京　中華書局　1958年
上海　上海古籍出版社　1980年5月

0380　金紫光　和莎士比亞同時代的偉大戲曲家湯顯祖
北京日報　1959年6月6日

0381　連　雲　湯顯祖——明代傑出的戲曲作家
文藝世紀　1960年2期　頁2　1960年2月1日

0382　Wang Chi-ssu. "T'ang Hsien-tsu：A Great 16th Century Dramatist." *Chinese Literature,* 1(1960), pp.90-95.

0383　東　靖　傳奇大家湯顯祖
亞洲文學　第30期　1961年

0384　流　沙、萬　葉　明代偉大的戲曲家湯顯祖
星火　1962年2期

0385　徐朔方　湯顯祖的生活、思想和創作——湯顯祖全集前言

人民日報　1962年3月21日

0386　韌　庵　　盛名永垂不朽湯顯祖
中國古代戲劇家　頁76-92　香港　上海書局　1963年1月

0387　李曰剛　　南曲通仙湯顯祖
義安學院院刊　第1期　頁72-81　1965年

0388　平　甬　　湯顯祖——崑曲大家
青年戰士報　第7版　1967年11月20日

0389　蔡愛仁　　傳奇作家湯顯祖
江西文獻　第24期　頁2　1968年3月

0390　費海璣　　湯顯祖——陽明學派的文學家
學園　第8卷10期　頁14-15　1973年8月

0391　費海璣　　湯顯祖和他的妻子
民主憲政　第45卷2期　頁18-19　1973年11月

0392　費海璣　　湯顯祖傳記之研究
臺北　臺灣商務印書館　1974年5月

0393　八木澤元　　湯顯祖傳的研究
明代劇作家研究　第7章　353-415　臺北　中新書局　1977年4月

0394　鄭惠文　　南曲宗匠——湯顯祖
中國文學家的故事　頁199-201　臺北　莊嚴出版社　1977年11月

0395　黃芝岡　　湯顯祖編年評傳導言
戲曲研究　第3輯　長春　吉林人民出版社　1980年

0396　周悅文　　傑出的戲曲家湯顯祖
江西日報　1980年9月24日

0397　趙景深　　湯顯祖傳
曲論初探　上海　上海文藝出版社　1980年7月

0398　黃文錫　　湯顯祖
江西戲劇　1982年1期　頁74-

0399　黃順強　　湯顯祖
贛圖通訊　1982年2期　頁25-

0400　龔傳文　　湯顯祖傳
撫河　1982年3期　1982年

0401　龔傳文　　湯顯祖小傳
玉茗花　1982年3期　1982年

0402　陳　彬、吳鳳雛　明代偉大的戲劇家湯顯祖

江西文藝界 1982年5期

0403 許威漢、范能船 湯顯祖
歷代著名作家簡介 頁254-257 鄭州 河南人民出版社 1982年8月

0404 鄧祿田 傑出的明代戲劇家湯顯祖
戲劇電影報 1982年9月26日

0405 耕 生 湯顯祖生平簡述
江西社會科學研究資料 1982年第11期

0406 江巨榮 湯顯祖——格韻高絕的戲曲家
文史知識 1984年3期 頁91-95 1994年3月

0407 Cyril Birch and Clara Yu Cuadrado. "T'ang Hsien-tsu."
The Indiana Companion to Traditional Chinese Literature. Bloomington: Indiana University Press, 1986, pp.751-754. 臺北南天書局 1988年5月影印本

0408 黃文錫、吳鳳雛 湯顯祖傳
北京 中國戲劇出版社 243頁 1986年6月

0409 朱學輝、季曉燕 東方戲劇藝術巨匠湯顯祖
南昌 江西人民出版社 1986年7月

0410 龔重謨、羅傳奇 湯顯祖傳
南昌 江西人民出版社 227頁 1986年10月

0411 張 庚、郭漢城 湯顯祖的生平與思想
中國戲曲通史 中冊 第3編第8章 北京 中國戲劇出版社 1981年5月
中國戲曲通史（二） 第3編第8章 頁85-91 臺北 丹青圖書公司 不著出版年月

0412 張增元輯 湯顯祖
方志著錄元明清曲家傳略 頁91-94 北京 中華書局 1987年2月

0413 夏寫時 湯顯祖
中國古代文論家評傳 頁717-731 鄭州 中州古籍出版社 1988年8月

0414 黃 毅 湯顯祖
十大戲曲家 頁126-152 上海 上海古籍出版社 1990年7月

0415 黃芝岡 湯顯祖編年評傳
北京 中國戲劇出版社 417頁 1992年8月

0416 徐朔方 湯顯祖評傳
南京 南京大學出版社 260頁 1993年7月
0417 吳國欽 改革派、創新家、開拓者——論湯顯祖
中華戲曲 第14輯 頁325-339 太原 山西人民出版社 1993年8月
0418 王永健 湯顯祖也是位有創見的史學家和教育家
湯顯祖與明清傳奇研究 頁13-24 臺北 志一出版社 1995年12月
0419 八木澤元 湯海若生卒年月日考
山形大學紀要 第2卷1期 1952年3月
0420 鄭 騫 湯顯祖莎士比亞同年卒
中國書目季刊 第7卷2期 1972年12月
0421 舒 印 湯顯祖的卒年
戲劇電影報 第3版 1983年1月9日
0422 紀 勤 「清遠道人」釋
戲文 1982年3期

2. 各地經歷

0423 曾獻平 湯顯祖嶺南之行
戲劇電影報 第3版 1983年2月20日
0424 劉佐泉 萬里投荒一邑丞，百代徐聞感義仍：明代大戲劇家湯顯祖流寓廣東徐聞述論
社科情報與資料 1986年5期 頁45-
雷州師專學報（文科版） 1986年2期 頁57-
0425 周育德 作爲教育家的湯顯祖——徐聞貴生書院所見
湯顯祖論稿 頁293-302 北京 文化藝術出版社 1991年6月
0426 昭 民 湯顯祖與廣西
語文園地 1985年6期 頁55-56
0427 李習文 湯顯祖到過澳門
人民日報（海外版） 第7版 1993年6月7日
中國古代、近代文學研究（複印報刊資料） 1993年9期 頁255 1993年9月
0428 潘明志 湯顯祖拒遊徽州之我見
徽州社會科學 1991年1期 頁27-

0429 龔傳文 湯顯祖在遂昌
撫河 1979年第2期 頁59-
0430 張石泉 遂昌知縣湯顯祖
戲劇界 1982年第2期 頁45-
0431 蘇振元 湯顯祖在浙江遂昌
杭州大學學報(哲學社會科學版) 1982年第2期 頁114-120 1982年6月
0432 王馨一 湯顯祖在遂昌
中華文史論叢 1983年2期(總第26輯) 頁211-217 1983年 6月
湯顯祖研究論文集 頁560-569 北京 中國戲劇出版社 1984年5月
0433 張石泉 湯顯祖在遂昌
浙江師範學院學報(社科版) 1983年3期 頁74-
0434 周育德 平昌又見玉茗花
湯顯祖論稿 頁315-319 北京 文化藝術出版社 1991年 6月
0435 羅傳智 略述湯顯祖晚年在臨川奮戰的事跡
撫州師專學報(社科版) 1987年3期 頁1-5
0436 劉湘如 福建人與湯顯祖
福建戲劇 1983年5期 頁31

3. 生活軼事

0437 柳熙文 湯顯祖軼事
遼寧文藝 1957年6期
0438 谷 佛 湯顯祖的軼事
文藝世紀 1960年11期 頁4-5 1960年11月
0439 王馨一 湯公軼事
撫河 1982年第3期
0440 浪 花 湯顯祖臥薪
山花 1979年第2期 頁66
中國古代、近代文學研究(複印報刊資料) 1979年2期 頁77
0441 鄭 閏 關於湯顯祖的棄官
湯顯祖研究論文集 頁549-559 北京 中國戲劇出版社

1984年5月

0442 汪文科 湯顯祖臥薪與商小玲殉戲
陝西戲劇 1980年1期 頁27 1980年1月

0443 李鳳吾 湯顯祖柴房灑淚與福樓拜伏杆哭泣
春風 1980年4期 頁67 1980年4月15日

0444 孟 斐 湯顯祖赴考
知識窗 1981年1期

0445 李振坤 湯顯祖趕考
中國通俗文藝 第6期 頁42-45 1981年9月

0446 盡 知 湯顯祖趕考忤權相
玉茗花 1982年3期

0447 艾 平 湯顯祖失蹤
南寧晚報 1981年3月10日

0448 野 芹 湯顯祖的「出家」想
江西戲劇 1981年第3期

0449 路 工 湯顯祖的三件事
訪書見聞錄 頁244-246 上海 上海古籍出版社 1985年8月
1.未入其室
2.「此正吾講學」
3.牡丹亭的演出

0450 龔重謨 湯顯祖雜考三則
湯顯祖研究論文集 頁585-590 北京 中國戲劇出版社 1984年5月

4. 交遊考

0451 徐朔方 交遊資料補錄
湯顯祖年譜 附錄甲 頁187-206 北京 中華書局 1958年11月

0452 鍾來因 金瓶梅、湯顯祖、李瑪寶、王彥泓父子——明季文學史上的文人關係
福建論壇(文史哲版) 1986年2期

0453 鄭培凱 湯顯祖與達觀和尚——兼論湯顯祖人生態度與超越精神的發展
湯顯祖與晚明文化 頁357-444 臺北 允晨文化公司 1995年11月

0454 徐朔方 關於湯顯祖、沈璟關係的一些事實
戲文 1981年第4期
論湯顯祖及其他 頁121-124 上海 上海古籍出版社 1983年8月

0455 何 爲 湯顯祖·沈璟·葉堂
江西戲劇 1982年第4期 頁11-
湯顯祖研究論文集 頁363-379 北京 中國戲劇出版社 1984年5月

0456 張新建 徐渭與湯顯祖
戲曲研究 第27輯 頁208-222 北京 文化藝術出版社 1988年9月
徐渭論稿 第5章第1節 北京 文化藝術出版社 1990年 9月

5. 遺 跡

0457 曲六乙 臨川行：訪我國戲曲家湯顯祖的故鄉
人民日報 1961年8月20日

0458 萬斌生 謁湯顯祖故里
贛東報 第4版 1982年10月30日

0459 趙相如 文章超海內，品節冠臨川——大戲劇家湯顯祖故里行
散文 1983年10期 頁39

0460 蔣星煜 湯顯祖的玉茗堂
以戲代藥 廣州 廣東人民出版社 1980年11月

0461 龔傳文 玉茗堂
江西戲劇 1982年1期

0462 鄧作新 新建玉茗堂
撫河 1982年3期

0463 吳文丁 玉茗堂掠影
贛東報 第4版 1982年10月23日

0464 林 抒 玉茗舊址立新樓
湯顯祖紀念集 頁390-393 南昌 江西省文學藝術研究所 1983年10月

0465 席 明 撫州湯顯祖紀念館正式開館
贛東報 第1版 1982年10月23日

0466 青 莽 參觀湯顯祖紀念堂

撫河　1983年1期
0467　徐宜良　湯顯祖紀念館簡介
湯顯祖紀念集　頁395-410　南昌　江西省文學藝術研究所　1983年10月
0468　紀　勤　湯顯祖手書兩塊扁額考
戲曲研究　第33輯　頁137-142　北京　文化藝術出版社　1990年6月
0469　戴敦邦　湯顯祖造像（國畫）
撫河　1982年3期
0470　李虎臣　湯顯祖畫像
江西戲劇　1982年4期
0471　李劍晨　湯顯祖畫像
江西日報　第4版　1982年10月28日
0472　楊力作　湯顯祖畫像
贛東報　第4版　1982年10月30日
0473　鄧作新　湯顯祖陵園
江西戲劇　1982年1期
0474　朱育文　湯顯祖墓
玉茗花　1982年3期
0475　李虎臣攝　重建於撫州人民公園的湯顯祖墓地
江西戲劇　1982年4期
0476　侃明文、湯對堂　湯顯祖墓重新修復
贛東報　第4版　1982年9月25日
0477　朱育文　湯墓漫步
贛東報　第4版　1982年10月23日
0478　朱育文　漫步湯氏墓
江西日報　第4版　1982年10月28日
0479　林　抒　湯顯祖之墓
湯顯祖紀念集　頁411-414　南昌　江西省文學藝術研究所　1983年10月
人民日報（海外版）　第7版　1986年11月22日
戲曲研究（複印報刊資料）1986年12期　頁41　1986年12月
0480　徐宜良文、鄧作新攝　偉大的戲劇家湯顯祖：湯顯祖生平事跡圖片選登
江西戲劇　1982年4期　頁3-
0481　曾林祥　湯顯祖生平事跡展覽在撫州展出
江西文藝界　1982年6期

6. 傳記劇本及研究

0482 蔣士銓 臨川夢一卷
紅雪樓九種曲 清乾隆間紅雪樓刊本（臺灣大學研究圖書館藏、東吳大學圖書館藏）

0483 蔣士銓 臨川夢一卷
藏園九種曲 清乾隆三十九年蔣氏刊本（東海大學圖書館、臺灣分館藏）

0484 蔣士銓著、邵海清校注 臨川夢
上海 上海古籍出版社 242頁 1989年5月

0485 趙 舜 蔣士銓研究
臺灣師範大學國文研究所集刊 第20集 頁1041-1250 1976年6月

0486 周妙中 蔣士銓和他的十六種戲曲
上饒師專學報（社科版） 1985年3期 頁1-

0487 蔣星煜 蔣士銓和他的戲劇創作
光明日報 第3版 1985年6月18日

0488 熊澄宇 蔣士銓劇作研究
北京 中國戲劇出版社 168頁 1988年2月

0489 周妙中 蔣士銓現存劇作及其版本
蔣士銓研究論文集 頁14-19 南昌 江西人民出版社 1989年

0490 郭英德 蔣士銓傳奇本事考略
文獻 1990年1期 頁64-73

0491 江寄萍 蔣士銓的藏園九種曲
天津益世報 戲劇與電影 第23期 1933年8月16日

0492 趙曾玖 蔣清容的九種曲
文學年報 第2期 1936年5月

0493 朱尚文 蔣士銓藏園九種曲
大陸雜誌 第21卷3期 頁15-20 1960年8月

0494 張 敬 蔣士銓藏園九種曲析論
中國書目季刊 第9卷1期 頁3-25 1975年6月

0495 吳長庚、韓鍾文 蔣士銓藏園九種曲研究
上饒師專學報（社科版） 1982年4期 頁60-

0496 章綺霞 藏園九種曲研究
臺北 輔仁大學中國文學研究所碩士論文 1986年

0497 熊澄宇 蔣士銓劇作的思想內容
戲曲研究 第19輯 北京 文化藝術出版社 1986年7月
0498 蔣星煜 臨川夢與湯顯祖
以戲代藥 廣州 廣東人民出版社 1980年11月
光明日報 第3版 文學遺產 第613期 1983年11月22日
0499 錢靜方 臨川夢傳奇考
小說叢考 卷下 頁100-104 臺北 新文豐出版公司 1982年
0500 鄒自振 蔣士銓和臨川夢
撫河 1983年3期 頁94-
0501 邵海清 蔣士銓和他的臨川夢
杭州大學學報(哲社版) 1984年4期 頁73-
0502 張玉奇 臨川夢的旨趣及其構思
上饒師專學報(社科版) 1986年1期 頁69-74
0503 鄒自振 蔣士銓筆下的湯顯祖
撫州師專學報(社科版) 1987年3期 頁15-17轉頁43
0504 郭英德 蔣士銓臨川夢傳奇漫議
名作欣賞 1987年3期 頁44-48
0505 王永健 爲一代戲曲大師立傳之作——評蔣士銓的臨川夢傳奇
蘇州大學學報(哲社版) 1988年2期 頁60-64
戲曲研究(複印報刊資料) 1988年7期 頁22-26
0506 莫 舍、素 子 簡論藏園九種曲之一臨川夢
蔣士銓研究文集 頁83-93 南昌 江西人民出版社 1989年
0507 王巧林、殷庭佳、鄭伯權 湯顯祖(電影文學劇本)
影劇新作 1981年3期
電影文學 1982年9月
0508 南 廓 葉原有稜花色新，歲寒不受雪霜侵——喜讀電影文學劇本湯顯祖
電影文學 1983年2期 頁96
0509 石凌鶴 湯顯祖(詩劇)
凌鶴劇作選 南昌 江西人民出版社 1962年8月

(二) 年 譜

0510 黃芝岡 湯顯祖年譜
戲曲研究 1957年2期 頁112-120 1957年 月

戲曲研究　1957年3期　頁101-119　1957年7月
戲曲研究　1957年4期　頁106-119　1957年10月

0511　徐朔方　湯顯祖年譜
上海　中華書局　284,4頁　1958年11月
上海　古典文學出版社　1958年
1.關於本書的幾點說明
2.湯顯祖年譜
3.附　錄
甲、交遊資料補錄
乙、詩賦文集考略
丙、玉茗堂傳奇創作時代考
丁、紫簫記考證
戊、牡丹亭與婦女軼聞
己、諸家評論
庚、引用書目
辛、人名索引

0512　徐朔方　湯顯祖年譜
上海　上海古籍出版社　1980年5月（修訂本）
晚明曲家年譜　第三卷　頁201-469　杭州　浙江古籍出版社　1993年12月

0513　丹　溪　不應該用資產階級的觀點、方法來編寫年譜——評徐朔方編著的《湯顯祖年譜》
光明日報　文學遺產　第316期　1960年6月5日

0514　徐朔方　對《湯顯祖年譜》的批評的答覆
光明日報　文學遺產　第321期　1960年7月10日

0515　杭州大學中文系1956級湯顯祖研究小組　《湯顯祖年譜》再批判
光明日報　文學遺產　第334期　1960年10月16日

0516　徐朔方　爲《湯顯祖年譜》再說幾句話
光明日報　文學遺產　第353期　1961年3月5日

0517　徐朔方　湯顯祖年表
徐朔方、楊笑梅校注《牡丹亭》附錄　北京　古典文學出版社　1958年4月
湯顯祖集　附錄　中華書局　1962年7月

0518　鄭培凱　湯顯祖年表
湯顯祖與晚明文化　附錄　頁447-451　臺北　允晨文化公司　1995年11月

㈢ 時代背景

0519 周育德 湯顯祖和萬曆政界
湯顯祖論稿 頁106-147 北京 文化藝術出版社 1991年6月

0520 周育德 湯顯祖和萬曆劇壇
湯顯祖論稿 頁148-194 北京 文化藝術出版社 1991年6月

0521 萬作義 湯顯祖與異端學派的關係
江西戲劇 1982年第4期 頁22-

0522 周育德 臨川四夢和明代社會
湯顯祖研究論文集 頁85-130 北京 中國戲劇出版社 1984年5月
湯顯祖論稿 頁195-224 北京 文化藝術出版社 1991年6月（篇名作〈臨川四夢中的明代社會〉）

0523 鄭培凱 湯顯祖與晚明政治
（上）九州學刊 第3期 頁23-44 1987年3月
（中）九州學刊 第4期 頁1-24 1987年6月
（上）九州學刊 第2卷2期 頁31-46 1988年1月
湯顯祖與晚明文化 頁33-184 臺北 允晨文化公司 1995年11月

0524 徐朔方 湯顯祖和晚明文藝思潮
中華文史論叢 1983年2期（總第26輯） 頁139-154 1983年6月
湯顯祖研究論文集 頁5-24 北京 中國戲劇出版社 1984年5月
中國古代、近代文學研究（複印報刊資料） 1984年6期 頁59-71

0525 鄭培凱 湯顯祖與晚明文化美學
湯顯祖與晚明文化 頁3-29 臺北 允晨文化公司 1995年11月

0526 周明初 湯顯祖：在政治與藝術之間
中州學刊 1996年4期 頁95-100

0527 徐朔方 湯顯祖與利瑪竇
文史 第12輯 頁273-281 北京 中華書局 1981年9月
論湯顯祖及其他 頁91-105 上海 上海古籍出版社 1983

年8月
比較戲劇論文集　頁164-178　北京　中國戲劇出版社　1988年12月

0528　徐朔方　湯顯祖與金瓶梅
群衆論叢　1981年6期　頁76-78　1981年11月
論湯顯祖及其他　頁125-133　上海　上海古籍出版社　1983年8月

0529　蔣星煜　湯顯祖對張居正之認識及其在劇作中的曲折反映
中華文史論叢　1983年2期（總第26輯）　頁155-171　1983年6月
湯顯祖研究論文集　頁131-151　北京　中國戲劇出版社　1984年5月

0530　紀　勤　相知何必曾相逢——湯顯祖與徐文長
戲劇世界　1985年6期

0531　徐朔方　論汪道昆：湯顯祖同時代的曲論家之一
杭州大學學報（哲社版）　1988年1期　頁59-64轉頁105

0532　徐朔方　論張鳳翼：湯顯祖同時代的曲論家之一
藝術百家　1988年2期　頁109-113

二、劇作總論

1.概　述

0533　洳東一蟹（錢靜方）　　湯臨川四夢傳奇考
　　小說月報　第4卷6期　頁53-56　1913年10月15日
　　小說叢考　卷上　頁86-92　臺北　新文豐出版公司　1982年
0534　李慈銘　　湯玉茗傳奇壓倒元人
　　文藝雜誌　第3期　1915年
0535　徐朔方　　湯顯祖和他的傳奇
　　浙江師範學院學報　1955年1期　1955年7月
　　北京大學學報　1955年2期
　　戲曲雜記　上海　古典文學出版社　1956年7月
　　元明清戲曲研究論文集　頁337-361　北京　作家出版社　1957年7月
　　古典戲曲研究論集　頁94-118　香港　宏智書店　不著出版年月
　　湯顯祖研究資料彙編（下）　頁734-761　上海　上海古籍出版社　1986年9月
0536　趙景深　　讀湯顯祖
　　明清曲談　上海　古典文學出版社　1957年8月
0537　石凌鶴　　試論湯顯祖和其劇作
　　江西日報　1957年11月12日
0538　周璣璋　　湯顯祖和他的傳奇
　　解放日報　1957年12月7日
0539　劉修業　　玉茗新詞四種——還魂記、紫釵記、邯鄲記、南柯記
　　古典小說戲曲叢考　頁104-105　北京　作家出版社　1958年5月
0540　朱尙文　　湯顯祖臨川四夢
　　明代劇曲史　臺北　高長印書局　1959年10月
0541　趙景深　　讀湯顯祖傳奇札記之一
　　語言文學　1959年第5期　1959年
0542　趙景深　　讀湯顯祖傳奇札記之二
　　語言文學　1960年第1期　1960年
0543　佚　名　　侯外廬論湯顯祖的四夢

文匯報　1961年8月26日
0544　徐朔方　湯顯祖的生活、思想和創作：湯顯祖全集前言
人民日報　1962年3月21日
湯顯祖集前言　北京　中華書局　1962年7月
論湯顯祖及其他　頁1-13　上海　上海古籍出版社　1983年8月（篇名作〈湯顯祖和他的創作〉）
0545　金學主　湯顯祖研究
臺北　臺灣大學中國文學研究所碩士論文　1963年
0546　龍傳仕　試論湯顯祖的戲劇創作
光明日報　文學遺產　第503期　1965年3月21日
0547　高宇華　湯顯祖作品研究
文學世界　第9卷2期　頁33-47　1965年6月
0548　金學主　湯顯祖與其傳奇
中國學報　第3輯　頁53-70　1965年6月
0549　Yang,F.S.（楊富森）"The Four 'Dream' Plays of T'ang Hsien-tsu."
（上）書目季刊　創刊號　頁69-76　1966年9月
（下）書目季刊　第1卷2期　頁81-86　1966年12月
0550　高宇華　湯顯祖作品研究
文學世界　第46期　1965年
0551　高宇華　湯顯祖作品研究
香港　香港大學文學碩士論文　1966年
0552　徐作聖　湯顯祖的玉茗四夢
藝文誌　第79期　頁48-54　1972年4月
0553　吳錫澤　湯顯祖與四夢傳奇
中華日報　第9版　1972年6月16日-7月3日
0554　吳錫澤　玉茗四夢的作者與作品
東方雜誌　復刊第5卷12期　頁76-88　1972年6月
0555　凌靜濤　湯顯祖考述
臺北　臺灣師範大學國文研究所碩士論文　417頁　1974年
盧元駿指導
0556　Shang, Lily Tang. "The Four Dreams of T'ang Hsien-Tsu."
Doctoral dissertation, Hamburg University, 1974. 115p.
0557　黃麗貞　湯顯祖和他的四夢
中華文化復興月刊　第9卷11期　頁37-44　1976年11月
0558　八木澤元　湯顯祖的戲曲
明代劇作家研究　第7章　416-434　臺北　中新書局　1977

年4月

0559 廈門大學中文系 湯顯祖及其創作
魯迅論中國古典文學 頁132 福州 福建人民出版社 1979年10月

0560 徐 露 湯顯祖和他的玉茗堂四夢
中央日報 第10版 1980年3月14日

0561 沈 堯 湯顯祖與臨川四夢
戲劇藝術論叢 1980年2輯 頁138-144 1980年4月

0562 吳國欽 湯顯祖的臨川四夢
中國戲曲史漫話 頁189-190 上海 上海文藝出版社 1980年6月
中國戲曲史漫話 頁175-177 臺北 木鐸出版社 1983年8月

0563 江曉初 湯顯祖和他的作品
撫河 1981年2期

0564 壽 生 王實甫和湯顯祖血淚寫戲曲
藝譚 1981年3期

0565 盧惠淑 湯顯祖的玉茗四夢研究
中語中文學 第4輯 頁81-102 1982年

0566 郭漢城 湯顯祖和臨川四夢
撫河 1982年1期
搖河 1983年1期 頁75-
湯顯祖紀念集 頁196-211 南昌 江西省文學藝術研究所 1983年10月

0567 廖浩華、閔 聞、吳鳳雛、龔重謨 臨川四夢故事梗概
玉茗花 1982年3期

0568 方 良 臨川四夢
吉林青年 1982年12期 頁25-

0569 朱承樸、曾慶全 湯顯祖的玉茗堂四夢
明清傳奇概說 頁67-70 香港 三聯書店香港分店 1985年4月

0570 何佩明 湯顯祖四夢之成就研究
香港 新亞書院歷史研究所碩士論文 1985年

0571 彭隆興 湯顯祖及其作品
中國戲曲史話 北京 知識出版社 1985年4期

0572 黃文錫 臨川四夢的教益

劇本　1986年5期　頁21-

0573　徐保衛　走出牡丹亭：湯顯祖和他的世界
藝術百家　1989年4期　頁11-17

0574　饒仲林　湯顯祖四夢二題
江西大學學報（社科版）　1989年4期　頁65-68

0575　王永健　浪漫主義戲曲大師湯顯祖和他的臨川四夢
明清傳奇　頁71-110　南京　江蘇教育出版社　1989年11月

0576　馬質彬　湯顯祖的戲劇創作
內蒙古民族師院學報（哲社版）　1990年3期　頁73-78

0577　Hua, Wei.（華瑋）"Dreams in Tang Xianzu's Plays.
"CHINOPERL Papers", 16（1992-93）,pp.145-163.

0578　張燕瑾　以情反理的湯顯祖
中國戲劇史　第3章第6節　頁205-224　臺北　文津出版社　1993年7月

0579　俞爲民　論湯顯祖與四夢
明清傳奇考論　頁95-119　臺北　華正書局　1993年7月

0580　孫　玫　湯顯祖愛情劇一解
蘇州大學學報（哲社版）　1985年2期　頁56-58
戲曲研究（複印報刊資料）　1985年8期　頁67-69　1985年8月

0581　羅傳奇　對湯顯祖研究中若干問題的看法
江西社會科學　1981年1期　頁96-

0582　蔣星煜　湯顯祖研究的反思
上海戲劇　1987年1期　頁29-31
中國古代、近代文學研究（複印報刊資料）　1987年5期　頁239-241　1987年5月

2. 作成時代

0583　徐朔方　玉茗堂傳奇創作時代考
湯顯祖年譜　附錄丙　頁217-226　北京　中華書局　1958年11月
晚明曲家年譜　第三卷　湯顯祖年譜　附錄乙　頁481-489　杭州　浙江古籍出版社　1993年12月

3. 本事探源

0584　譚正璧　湯顯祖戲劇本事的歷史探溯
戲劇研究　1960年第1期　頁156-160　1960年4月
曲海蠡測　頁31-46　杭州　浙江人民出版社　1983年1月
湯顯祖研究資料彙編（下）頁762-775　上海　上海古籍出版社　1986年9月

0585　周文玲　湯顯祖劇作運用唐小說的再創作過程——從紫簫記至邯鄲夢記
輔大中研所學刊　第4期　頁275-306　1995年3月

0586　陳貞吟　湯顯祖愛情戲曲取材再創作之研究
高雄　高雄師範大學國文研究所博士論文　1996年1月　應裕康指導

4. 思想研究

(1) 通　論

0587　趙景深　湯顯祖的生平和思想
戲曲筆談　明代的戲曲和散曲（五）　頁65-67　北京中華書局　1962年11月

0588　侯外廬　論湯顯祖紫釵記和南柯記的思想性
——從歌頌自然情景的「春天」到政治傾向的烏托邦新建設
1961年第7期
論湯顯祖劇作四種　頁20-39　北京　中國戲劇出版社　1962年6月

0589　侯外廬　湯顯祖著作的人民性和思想性——序湯顯祖全集
光明日報　1962年6月25日
湯顯祖集　上海　中華書局　1962年

0590　夏志清　湯顯祖筆下的時間與人生
純文學　第1卷3期　頁40-64　1967年
愛情·社會·小說　頁163-200　臺北　純文學出版社　1970年9月

0591　Hsia,C.T.（夏志清）"Time and the Human Condition in the Plays of T'ang Hsien-tsu." In Wm.Theodore de Bary,ed., *Self and Society in Ming Thought.* New York & London：Columbia University Press, 1970, pp.249-290.

0592　楊佐經　試論湯顯祖的哲學思想

湯顯祖研究論文選　頁　－　江西省撫州地區紀念湯顯祖逝世366週年領導小組辦公室　1982年9月

0593　徐朔方　關於湯顯祖的世界觀
湯顯祖紀念集　頁145-164　南昌　江西省文學藝術研究所　1983年10月

0594　徐朔方　湯顯祖的思想發展和他的四夢
戲曲研究　第9輯　頁187-201　北京　文化藝術出版社　1983年3月
抖擻　第52期　頁40-46　1983年1月
論湯顯祖及其他　頁14-27　上海　上海古籍出版社　1983年8月

0595　楊　忠、張賢蓉　試論湯顯祖哲學倫理思想的內在矛盾
江西大學學報（社科版）　1984年4期　頁39-46
中國古代、近代文學研究（複印報刊資料）　1984年4期　頁96-103

0596　張　庚、郭漢城　臨川四夢的思想內容
中國戲曲通史　中冊　第3編第8章　北京　中國戲劇出版社　1981年5月
中國戲曲通史（二）　第3編第8章　頁91-101　臺北　丹青圖書公司　不著出版年月

0597　周續賡　湯顯祖的世界觀和臨川四夢
北京師院學報（社科版）　1985年1期　頁58-64

0598　楊　忠、張賢蓉　簡論湯顯祖的社會改良理想
江西社會科學　1985年2期　頁69-74

0599　周育德　湯顯祖宇宙觀、人性論及社會觀新探
戲劇藝術　1987年1期（總第37期）　頁82-96
中國古代、近代文學研究（複印報刊資料）　1987年6期　頁258-272　1987年6月

0600　黃仁生　湯顯祖的哲學思考
湖南師範大學社會科學學報　1987年5期（總第61期）　頁62-67　1987年9月

0601　劉彥君　湯顯祖思想中的人道主義因素
戲曲藝術　1983年3期　頁38-

0602　黃仁生　論臨川四夢關於人的哲學思考
江西師範大學學報（哲社版）　1987年3期（總第47期）　頁33-39　1987年7月

0603 樓宇烈　湯顯祖哲學思想初探
湯顯祖研究論文集　頁152-173　北京　中國戲劇出版社　1984年5月
中國古代、近代文學研究（複印報刊資料）　1987年11期　頁220-226　1987年11月

0604 樓宇烈著、水野實譯　湯顯祖的哲學思想初探
（上）中國古典研究　第33期　頁54-68　1988年12月
（下）中國古典研究　第34期　頁54-68　1989年12月

0605 馮　光　湯顯祖倫理思想初探
撫州師專學報　1990年3期　頁64-68

0606 周育德　湯顯祖的哲學思想
湯顯祖論稿　頁1-40　北京　文化藝術出版社　1991年6月

0607 匡定邦　湯顯祖重農思想淺探
湯顯祖研究論文選　頁　-　江西省撫州地區紀念湯顯祖逝世366週年領導小組辦公室　1982年9月

0608 胡一輝　湯顯祖忠君思想淺析
湯顯祖研究論文選　頁　-　江西省撫州地區紀念湯顯祖逝世366週年領導小組辦公室　1982年9月

0609 萬斌生　湯顯祖忠君思想之衍變及湯劇皇帝形象
撫州師專學報（社科版）　1987年3期　頁6-14

0610 吳志達　湯顯祖的世界觀與創作
明清文學史：明代卷　第7章　頁359-370　武昌　武漢大學出版社　1991年12月

0611 楊　忠、張賢蓉　厭逢人世懶生天——湯顯祖晚年思想及二夢創作芻議
湯顯祖研究論文集　頁415-424　北京　中國戲劇出版社　1984年5月

0612 郭英德、李眞瑜　論湯顯祖文化意識的悲劇衝突
戲曲研究　第24輯　北京　文化藝術出版社　頁203-220　1987年12月

0613 王建科、張義元　臨川四夢和湯顯祖的悲劇意識
漢中師範學院學報（社科版）　1995年4期　頁29-33

(2) 宗教思想

0614 萬斌生　淺談臨川四夢的非佛道思想
江西大學學報（社科版）　1982年第2期　頁83-

湯顯祖研究論文選　頁　-　江西省撫州地區紀念湯顯祖逝世366週年領導小組辦公室　1982年9月

0615　藍　凡　試論湯顯祖四夢中的佛學禪宗思想——兼論湯顯祖的思想傾向
河北大學學報（哲社版）　1984年3期　頁101-109
中國古代、近代文學研究（複印報刊資料）　1984年20期　頁48-56

0616　王　煜　湯顯祖的儒釋道三向
中國文化月刊　第112期　頁27-44　1989年2月

0617　姚白芳　受佛家影響的戲曲家湯顯祖
（上）中國文化復興月刊　第24卷3期　頁38-40　1991年3月
（下）中國文化復興月刊　第24卷4期　頁39-40　1991年4月

0618　周育德　湯顯祖的宗教意識
湯顯祖論稿　頁41-86　北京　文化藝術出版社　1991年6月

(3)　美學思想

0619　藍　凡　湯顯祖的戲曲美學思想
江西大學學報（社科版）　1982年第2期　頁75-

0620　懷　玉　湯顯祖創作思想的偉大飛躍
爭鳴　1982年第3期

0621　周育德　湯顯祖文藝思想初探
江西師院學報（哲社版）　1982年第1期　頁27-36

0622　張清華　湯顯祖五傳創作思想淺探
學術研究輯刊　1980年第2期　頁76-82　1980年12月

0623　黃天驥　湯顯祖的文學思想——意、趣、神、色
中山大學學報　1963年第1、2期合刊

0624　蔣志雄　臨川劇作的美學思想
學習與思考　1982年6期（總第12期）　頁45-49　1982年11月

0625　黃天鍵　略論湯顯祖的審美觀
南昌師專學報（社科版）　1984年3期　頁17-22

0626　危　磊　論湯顯祖的戲劇美學思想
南寧師院學報（哲社版）　1985年1期　頁22-27轉頁8

0627　姚文放　呼喚眞情的理想之歌——論湯顯祖的美學思想
文史哲　1988年5期（總第188期）　頁81-84　1988年9月

0628　宋　煒　湯顯祖美學思想芻論

錦州師院學報（哲社版） 1991年3期 頁65-69
中國古代、近代文學研究（複印報刊資料） 1991年11期 頁226-230 1991年11月

0629 姚文放 浪漫主義戲劇美學的崛起——湯顯祖的戲劇美學思想
揚州師院學報（社科版） 1991年4期 頁1-7
中國古代、近代文學研究（複印報刊資料） 1992年4期 頁238-244

0630 陳仰民 臨川四夢中眞善美的統一
湯顯祖研究論文集 頁174-181 北京 中國戲劇出版社 1984年5月

(4) 情感論

0631 徐 翔 無情未必眞豪傑——湯顯祖的情懷
江西戲曲論壇 1982年第3期

0632 李而亮 以臨川四夢探湯顯祖「情」的歸宿
戲曲藝術 1984年1期 頁70-

0633 王永寬 略論湯顯祖的言情說
文學論叢 第3輯 頁132-143 鄭州 河南人民出版社 1985年

0634 成復旺 湯顯祖的「至情論」
明清實學思潮史 上卷第20章 頁611-644 濟南 齊魯書社 1989年7月
明清實學簡史 頁286-300 北京 社會科學文獻出版社 1994年9月

0635 宋綿有 論湯顯祖情的美學觀
南開學報（哲社版） 1988年6期

0636 黃南珊 論湯顯祖的情感美學觀
江漢論壇 1990年2期（總第114期） 頁53-57 1990年2月

0637 賴大仁 論湯顯祖的情與夢
爭鳴 1990年4期 頁85-90
中國古代、近代文學研究（複印報刊資料） 1990年11期 頁211-216 1990年11月

0638 程建忠 漫談湯顯祖筆下的情
都江教育學院學報（綜合版） 1991年2期 頁14-18

0639 陳 竹 湯顯祖的主情論劇作學體系

明清言情劇作學史稿　頁21-40　武昌　華中師範大學出版社　1991年8月
0640　楊　忠　湯顯祖心目中的情與理：湯氏以情抗理說辨證
中國典籍與文化　1993年3期　頁44-50轉頁84
0641　華　瑋　世間只有情難訴——試論湯顯祖的情觀與他劇作的關係
大陸雜誌　第86卷6期　頁32-40　1993年6月
0642　龔重謨　也談湯顯祖的情
海南師院學報　1993年3期　頁43-45
0643　潘麗珠　明代曲論中的「情」論探索
國文學報　第23期　頁125-134　1994年6月

5. 寫作藝術

0644　吳文丁　湯顯祖戲劇創作的藝術特色
江西戲劇　1982年第4期　頁16-
0645　胡耀恆　湯顯祖戲劇藝術與思想
行政院國家發展委員會研究報告　1972年
0646　黃文錫　有感於四夢的浪漫主義
江西日報　1982年11月24日
0647　姚　莽、閻　鑄　論湯顯祖戲曲藝術表現方法的特點及其形成
戲曲學習　1984年1期
0648　許祥麟　湯顯祖與本色說
天津師大學報　1986年1期（總第64期）　頁77-79　1986年2月
戲曲研究（複印報刊資料）　1986年6期　頁55-57　1986年6月
0649　程　鵬、蔣志雄　論臨川戲劇的時空結構
中國社會科學院研究生院學報　1988年4期（總第46期）　頁63-71　1988年7月
中國古代、近代文學研究（複印報刊資料）　1988年10期　頁174-182　1988年10月
0650　錢英郁　湯顯祖的創作道路
湯顯祖研究論文集　頁25-40　北京　中國戲劇出版社　1984年5月
0651　彭德緯、錢貴成　酌奇而不失其眞，玩華而不墜其實——簡論湯顯祖劇詩中的心理描寫

湯顯祖研究論文集　頁537-548　北京　中國戲劇出版社　1984年5月

0652　張　庚、郭漢城　湯顯祖的創作方法論及其藝術成就
中國戲曲通史　中冊　第3編第8章　北京　中國戲劇出版社　1981年5月
中國戲曲通史（二）　第3編第8章　頁101-109　臺北　丹青圖書公司　不著出版年月

0653　吳文丁、顧建中　談湯顯祖藝術構思的特色
電影文學　1983年2期　頁94

0654　張俠生　反襯藝術手法的妙用——讀曲札記
河南戲劇　1984年2期

0655　夏寫時　論湯顯祖的創作歷程和理論追求
論中國戲劇批評　頁251-270　濟南　齊魯書社　1988年10月

0656　黃仁生　論臨川劇作藝術表現的獨創性及其成因
中國文學研究　1987年1期　頁56-

0657　沈鴻鑫　臨川四夢的劇詩系統
藝術百家　1989年2期　頁90-98
戲曲研究（複印報刊資料）　1989年10期　頁61-69

0658　張成金　夾縫中的困惑——湯顯祖心態裂變追蹤
殷都學刊　1991年4期　頁84-88

0659　Hua,Wei.（華瑋）" The Search for Great Harmony: A Study of Tang Xianzu's Dramatic Art." Doctoral dissertation, University of California, Berkeley, 1991. 384p.

0660　萬　陸　曲意：透視湯顯祖創作心態的關捩
贛南師範學院學報（社科版）　1993年3期　頁77-81轉頁86

0661　董如龍　試論湯顯祖戲劇中的「夢幻」
資料與研究　1983年1期

0662　郭紀金　從夢幻意識看湯顯祖的二夢
中華文史論叢　1983年2期（總第26輯）　頁173-199　1983年6月
湯顯祖研究論文集　頁383-414　北京　中國戲劇出版社　1984年5月

0663　王永健　因情成夢，因夢成戲——試論臨川四夢的夢境和描寫
戲曲研究　第24輯　頁188-202　北京　文化藝術出版社　1987年12月
湯顯祖與明清傳奇研究　頁25-42　臺北　志一出版社　1995

年12月

0664 徐保衛 臨川四夢與湯顯祖夢境心理分析
華東師範大學學報（哲社版） 1987年1期 頁73-79 1987年2月
中國古代、近代文學研究（複印報刊資料） 1987年5期 頁242-248 1987年5月

0665 岩城秀夫 戲曲における夢——湯顯祖とシェイクスピアをめぐって
アジア文化 第10卷2期 頁74-87 1973年9月

0666 岩城秀夫著、戴麗珠譯 戲曲與夢
中國古典戲劇論集 頁345-370 臺北 幼獅文化事業公司 1985年1月

0667 萍 生 試論湯顯祖劇作中的夢
安徽新戲 1988年4期 頁60-62

0668 吳鳳雛 劇中之夢，夢中之情，夢外之意——湯顯祖和他的劇夢
文藝理論家 1990年2期 頁56-60

0669 高亞森 析湯顯祖「夢」的藝術含義
安徽師大學報（哲社版） 1990年3期（總第74期）頁287-290 1990年7月

0670 賴大仁 論湯顯祖的情與夢
爭鳴 1990年4期 頁85-90
中國古代、近代文學研究（複印報刊資料） 1990年11期 頁211-2161990年11月

0671 陳爲瑀 試論湯顯祖的情與夢
安徽新戲 1990年4期 頁59-62

0672 吳啓文 湯顯組的夢劇及其戲劇之夢
戲曲研究 第44輯 頁34-44 1993年3月

0673 廣瀨玲子 明代傳奇の文學——湯顯祖の戲曲における心理表現を中心として
東洋文化 第71期（特集中國戲曲小說研究） 頁55-90 1990年12月

0674 陳金泉 臨川四夢：奇幻藝術與寫實藝術的完美融合
撫州師專學報（社科版） 1992年2期 頁40-45

0675 李 暉 略論中國古代戲劇中的鬼魂形象
北方論叢 1980年第1期

6. 文藝理論

(1) 文學論

0676　岩城秀夫　詩文における湯顯祖の主張
山口大學文學會誌　第18卷1期　頁65-86　1967年8月

0677　周育德　湯顯祖文藝思想初探
江西師院學報（哲社版）　1982年2期（總25期）　頁27-36　1982年1月

0678　陸永工　湯顯祖的詩文觀
江海學刊　1984年6期　頁137-140

0679　鄔國平　湯顯祖的詩文理論
復旦學報（社科版）　1985年1期　頁66-71　1985年1月

0680　俞爲民　湯顯祖的詩文理論與詩文創作
江西社會科學　1986年4期

0681　金學主　湯顯祖與公安派的文學論
東亞文化　第24輯　頁1-30　1986年

0682　饒龍隼　論湯顯祖的二重文學觀
江西社會科學　1991年1期　頁82-87
中國古代、近代文學研究（複印報刊資料）　1991年6期　頁196-201　1991年6月

0683　周育德　湯顯祖的文藝觀
湯顯祖論稿　頁87-105　北京　文化藝術出版社　1991年6月

0684　黃文錫　論湯顯祖創作思想的發展
湯顯祖研究論文集　頁41-84　北京　中國戲劇出版社　1984年5月

0685　夏寫時　論湯顯祖的創作歷程和理論追求
戲曲研究　第23輯　頁62-80　北京　文化藝術出版社　1987年9月

0686　周啓成　論湯顯祖的文學觀
東疆學刊（哲社版）　1987年1、2期合刊　頁56-63

0687　隗　芾　三館畫手，一堂木偶
中華戲曲　第4輯　頁88　太原　山西人民出版社　1987年12月

0688　范國明　湯顯祖創作思想管見
國際關係學院學報　1992年4期　頁47-54

中國古代、近代文學研究（複印報刊資料） 1993年3期 頁225-232 1993年3月

0689 鄭培凱 湯顯祖的文藝觀與牡丹亭曲文的藝術成就
湯顯祖與晚明文化 頁205-271 臺北 允晨文化公司 1995年11月

⑵ 戲曲論

0690 孫小英 沈璟與湯顯祖之曲論比較
中華文化復興月刊 第10卷1期 頁45-53 1977年1月
中國古典文學論文精選叢刊 戲劇類（二） 頁21-47 臺北 幼獅文化事業公司 1980年8月

0691 孫小英 由湯顯祖的文學觀看其曲論
華夏學報 第6期 頁2052-2057 1978年5月

0692 阿部泰記 湯顯祖の戲曲觀——情の重視
人文研究（小樽商科大學） 第59期 頁1-16 1979年12月

0693 方家駟 簡論湯顯祖在戲劇理論與實踐上的貢獻
湯顯祖研究論文選 頁 - 江西省撫州地區紀念湯顯祖逝世366週年領導小組辦公室 1982年9月

0694 藍 凡 「凡文以意趣神色爲主」——湯顯祖的戲曲創作理論
新劇作 1982年4期 頁55

0695 張相端、李德均 意趣神色
戲劇叢刊 1983年2期 頁69

0696 龍 華 湯顯祖的戲劇理論
古代文學理論研究叢刊 第6輯 1982年9月

0697 葉長海 湯顯祖的戲曲理論
戲劇藝術 1983年1期（總第21期） 頁29-39 1983年2月
中國古代、近代文學研究（複印報刊資料） 1983年4期 頁218-228

0698 王 政 論臨川派的戲曲美學理論
古代文學理論研究 第9輯 頁266-292 1984年4月

0699 田仲一成 明末文人の戲曲觀——三先生合評元本北西廂における湯若士評の方向
東洋文化研究所紀要 第97期 頁163-193 1985年3月

0700 許祥麟 湯顯祖與本色說
天津師大學報 1986年1期 頁77-79

戲曲研究（複印報刊資料） 1986年6期 頁55-57

0701 馬美信 湯顯祖曲論三題
揚州師院學報（社科版）1986年4期（總第65期） 頁27-29

0702 王長安 主體精神的自由體現——湯顯祖的劇作觀
文藝理論家 1986年4期 頁67-71
戲曲研究（複印報刊資料） 1986年11期 頁58-62 1986年11月

0703 王長安 追求主體精神的自由體現——論湯顯祖的劇作觀
劇藝百家 1986年4期 頁99-

0704 劉彥君 穎異不群，遐清高邁：湯顯祖戲劇理論評略
戲劇 1987年2期 頁62-

0705 葉長海 湯顯祖的戲曲理論
中國戲劇學史稿 第5章第2節 頁171-192 臺北 駱駝出版社 1987年8月

0706 龔重謨 湯顯祖戲曲創作主張
江西社會科學 1992年1期 頁86-89

0707 程華平 試論湯顯祖曲律思想的文化成因
撫州師專學報（社科版） 1993年3期 頁17-22轉頁35

0708 陳東有 湯顯祖〈廟記〉中的演劇理論初探
江西大學學報 1984年3期 頁85-90

0709 黃天鍵 略論湯顯祖的審美觀
南昌師專學報（社科版） 1984年3期 頁17-22

0710 饒龍隼 論湯顯祖的靈性說
撫州師專學報（社科版） 1992年2期 頁35-39

0711 趙景深 湯顯祖談弋陽腔和青陽腔
解放日報 1962年6月17日

7. 聲腔研究

0712 錢南揚 湯顯祖劇作的腔調問題
南京大學學報 1963年第2期
漢上宧文存 頁109-116 上海 上海文藝出版社 1980年8月

0713 徐朔方 再論湯顯祖戲曲的腔調問題
戲劇論叢 1981年3期 頁112-
論湯顯祖及其他 頁63-69 上海 上海古籍出版社 1983年

8月

0714　俞為民　也談湯顯祖劇作的腔調問題
江蘇戲劇　1983年4期　頁17-

0715　王永健　湯顯祖劇作的腔調問題
明清傳奇　第6章第2節　頁143-148　南京　江蘇教育出版社　1989年12月

0716　俞為民　湯顯祖劇作的唱腔考辯
明清傳奇考論　頁145-161　臺北　華正書局　1993年7月

0717　徐朔方　湯顯祖戲曲的腔調和他的時代
中國文哲研究通訊　第6卷1期　頁1-10　1996年3月

0718　葉長海　湯顯祖與海鹽腔——兼與高宇、詹慕陶二同志商榷
戲劇藝術　1981年2期　頁136-141　1981年5月

0719　毛禮鎂　譚綸、湯顯祖和海鹽腔
江西日報　第4版　1982年10月24日

0720　雷　文　湯顯祖與宜黃戲
江西方志　1990年3期　頁59-60

0721　王永寬　「拗折天下人嗓子」辨
陝西戲劇　1979年3期

0722　鄧運佳　「拗折天下人嗓子」再辨——與王永寬同志商量
陝西戲劇　1979年5期

0723　蔡孟珍　湯顯祖「拗折天下人嗓子」質疑——兼談牡丹亭的腔調問題
教學與研究　第16期　頁83-97　1994年6月

8. 導演技巧

0724　高　宇　我國導演學的拓荒人湯顯祖
戲劇藝術　1979年1期　頁46-63　1979年3月

0725　詹慕陶　關於湯顯祖的導演活動和劇作腔調——與高宇同志商榷
戲劇藝術　1980年1期　頁114-123　1980年3月

0726　高　宇　再論我國導演學的拓荒人湯顯祖——答詹慕陶
戲劇藝術　1980年4期　頁107-117　1980年12月

0727　黃其道　湯顯祖與戲曲導演學——一個戲曲導演的看法
戲劇藝術　1980年4期　頁101-106　1980年12月

0728　李紫貴　漫談湯顯祖的戲曲導演表演藝術觀
湯顯祖紀念集　頁269-294　南昌　江西省文學藝術研究所　1983年10月

9. 舞台演出

0729 潘鳳霞 湯顯祖角色初探
光明日報 1961年11月25日

0730 詹慕陶 有關表演藝術的兩篇文獻
文匯報 1962年10月13日

0731 姚 莽等 論湯顯祖戲曲藝術表演方法的特點及其形成
戲劇學習 1984年1期 頁92-

0732 張發穎 我國舞台史上的臨川四夢
湯顯祖研究論文集 頁570-584 北京 中國戲劇出版社 1984年5月

0733 周育德 臨川四夢和明清舞臺
中國藝術研究院首屆研究生碩士學位論文集（戲曲卷） 頁79-119 北京 文化藝術出版社 1985年12月
湯顯祖論稿 頁225-263 北京 文化藝術出版社 1991年6月（篇名改作〈臨川四夢和戲曲舞台〉）

0734 吳書蔭 盛演不衰的臨川四夢
人民日報（海外版） 第7版 1986年11月22日
戲曲研究（複印報刊資料） 1982年12期 頁46 1986年12月

0735 周續賡 關於湯劇的改編演出及其他
戲曲研究 第24輯 頁178-187 北京 文化藝術出版社 1987年12月

10. 劇本改編

0736 周育德 湯顯祖劇作的明清改本
文獻 第15期 頁21-41 1983年3月

0737 周育德 話說臧晉叔改本「四夢」
江西戲劇 1982年3期 頁14-

0738 鄭 騫 玉茗新詞
從詩到曲 頁220-224 臺北 科學出版社 1961年7月
景午叢編（上） 頁220-224 臺北 臺灣中華書局 1972年2月

0739 方 吳 撫州地區舉行臨川四夢戲劇調演
江西戲劇 1982年4期

0740 齊芻言 也從改編演出湯顯祖劇作引起的討論談開去——兼評黃文錫的紫釵記改編本
湯顯祖研究論文選 頁 - 江西省撫州地區紀念湯顯祖逝世366週年領導小組辦公室 1982年9月

0741 郭漢城、章詒和 讓中國戲劇古典名著活在舞台上——關於湯顯祖四夢改編的淺見
湯顯祖研究論文集 頁182-212 北京 中國戲劇出版社 1984年5月

0742 周續賡 關於湯劇的改編演出及其他
戲曲研究 第24輯 頁178-187 北京 文化藝術出版社 1987年12月

0743 石淩鶴 湯顯祖劇作改譯
上海 上海文藝出版社 351頁 1982年12月

0744 淩 鶴 關於臨川四夢的改譯
湯顯祖研究論文集 頁213-223 北京 中國戲劇出版社 1984年5月

11. 讀作品札記

0745 趙景深 讀湯顯祖戲劇隨筆
戲曲筆談 頁114-134 北京 中華書局 1962年11月
戲曲筆談 頁114-134 上海 上海古籍出版社 1980年新1版
1.牡丹亭是浪漫主義的戲曲 頁114-118
2.牡丹亭的原本和改編 頁118-120
3.清暉閣本牡丹亭 頁120-122
4.紫簫記的作者問題 頁122-124
5.邯鄲記的寫作年代 頁124
6.湯顯祖的問棘郵草 頁124-128
7.談牡丹亭的改編 頁128-134

0746 周育德 讀湯偶記
戲劇學習 1980年第4期 頁73-

0747 懷 玉 四夢四記
江西戲劇 1982年第3期 頁19-

0748 路 工 湯顯祖的三件事
訪書聞見錄 頁244-246 上海 上海古籍出版社 1985年8月

12. 版本研究

0749 元　亢、張　勵　臨川四夢善本重版
——兼與趙景深同志議暖紅室二刻《牡丹亭》
江蘇戲劇　1982年第11期　頁53-　1982年

13. 評點作品研究

0750　張人和　西廂會眞傳湯顯祖、沈璟評辨僞
社會科學戰線　1981年2期
0751　蔣星煜　師儉堂刊湯顯祖本西廂記與李卓吾本的關係
戲劇學習　1982年1期
0752　張人和　西廂會眞傳爲閔評說質疑：與蔣星煜先生商榷
社會科學戰線　1982年4期　頁344-346
0753　徐朔方　玉茗堂批評董西廂辨僞
社會科學戰線　1984年2期（總第26期）　頁328-329　1984年4月
0754　路　工　玉茗堂董西廂藏本
訪書聞見錄　頁242-243　上海　上海古籍出版社　1985年8月
0755　李國平　戲曲札記二則（湯顯祖與萬錦嬌麗及新發現的話本小說三種）
文學遺產　1989年6期　頁105-106
0756　陳良瑞　也說萬錦嬌麗及其所說的三種小說
文學遺產　1990年3期　頁104-105
0757　黃　強　萬錦嬌麗所收小說第二種出於肉蒲團
文學遺產　1992年1期　頁122

14. 比較研究

0758　鄒自振　生死夢幻的奇情異彩——湯顯祖與洪昇劇作比較論
文藝理論家　1990年2期　頁61-64
中國古代、近代文學研究（複印報刊資料）　1990年10期　頁267-270　1990年10月
0759　趙景深　湯顯祖與莎士比亞
文藝春秋　第2卷2期　頁5-8　1946年1月
湯顯祖研究資料彙編（下）　頁727-733　上海　上海古籍出

版社 1986年9月

0760 岩城秀夫 關於戲曲的夢：湯顯祖與莎士比亞
亞細亞文化 第10卷2期 頁74-87 1973年

0761 徐朔方 湯顯祖與莎士比亞
社會科學戰線 1978年2期 頁208-216 1978年7月
論湯顯祖及其他 頁73-90 上海 上海古籍出版社 1983年8月
比較戲劇論文集 頁297-315 北京 中國戲劇出版社 1988年12月

0762 張隆溪 也談湯顯祖與莎士比亞
文藝學研究論叢 1979年

0763 蔡文顯 湯顯祖和莎士比亞
搖河 1983年2期 頁80-

0764 李 深 關漢卿、湯顯祖與莎士比亞
學叢 1984年4期 頁25-

0765 夏茵英 眞實與奇幻的統一——也談湯顯祖和莎士比亞的戲劇
華中師大研究生學報 1985年3期 頁97-

0766 徐朔方 湯顯祖和莎士比亞
環球 1987年7期 頁10-11
中國古代、近代文學研究（複印報刊資料） 1987年8期 頁231-232 1987年8月

0767 周錫山 湯顯祖和莎士比亞
比較文學三百篇 頁811-815 上海 上海文藝出版社 1990年

15. 評價與影響

0768 北京大學中文系古代文學教研室選編 關於湯顯祖的評價
中國文學史參考資料簡編（下冊） 頁515-518 北京 北京大學出版社 1989年11月

0769 石 園 湯顯祖在文學和史學上的貢獻
新東方 第1卷9期 頁50-60 1940年10月

0770 呂 凱 湯顯祖在明代傳奇之地位
文海 第17期 頁120 1970年5月

0771 孫永和 論湯顯祖在戲曲理論史上的地位
戲曲研究 第28輯 頁163-178 北京 文化藝術出版社 1988年12月

0772 吳志達 湯顯祖在戲曲史上的地位與影響
明清文學史：明代卷 第7章 頁386-388 武昌 武漢大學出版社 1991年12月

0773 江西省哲學社會科學研究所情報資料室 明至近代評價湯顯祖言論輯錄
江西社會科學研究資料 1982年11期

0774 葉長海 臧懋循論湯顯祖
中國戲劇學史稿 第5章第6節 頁242-244 臺北 駱駝出版社 1987年8月

0775 顧 啓等 湯顯祖傳奇在明遺民中
鹽城師專（社科版） 1983年2期 頁27-

0776 沈義芙 略論李漁對湯曲的譏彈
江西大學學報（哲社版） 1984年4期 頁84-

0777 鄭培凱 解到多情情盡處——從湯顯祖到曹雪芹
湯顯祖與晚明文化 頁313-356 臺北 允晨文化公司 1995年11月

0778 鄒自振 湯顯祖劇作與紅樓夢
撫州師專學報（社科版） 1992年2期 頁46-51

0779 王永健 湯顯祖研究與「湯學」
湯顯祖與明清傳奇研究 頁1-12 臺北 志一出版社 1995年12月

三、紫簫記

1. 概　述

0780　佚　名　紫簫記提要
傳奇彙考　卷2　古今書室刊本　1914年
傳奇彙考　卷2　北京　書目文獻出版社　1994年3月

0781　佚　名　紫簫記提要
曲海總目提要　卷6　上海　大東書局　1928年
曲海總目提要　卷6　北京　人民文學出版社　1959年
曲海總目提要　卷6　臺北　新興書局　1967年
曲海總目提要　卷6　北京　天津古籍書店　1992年6月

0782　青木正兒　紫簫記及び紫釵記
支那近世戲曲史　第9章　東京　弘文堂　1930年
青木正兒全集　第3卷　支那近世戲曲史　第9章　頁202-207　東京　春秋社　1972年9月

0783　青木正兒著、鄭　震譯　紫簫記與紫釵記
中國近代戲曲史　第9章　上海　北新書局　1933年3月

0784　青木正兒著、王古魯譯　紫簫記與紫釵記
中國近世戲曲史　第9章　頁232-236　上海　商務印書館　1936年2月；
上海　中華書局　1954年增訂版；上海　上海文藝出版社　1956年；北京　作家出版社　1958年；香港　中華書局　1975年；臺北　臺灣商務印書館　1965年臺1版

0785　徐朔方　紫簫記考證
湯顯祖年譜　附錄丁　頁227-234　北京　中華書局　1958年11月
晚明曲家年譜　第三卷　湯顯祖年譜　附錄丙　頁490-495　杭州　浙江古籍出版社　1993年12月

0786　馬努辛　論湯顯祖的第一部戲曲
遠東文學研究的理論問題　頁27-28　莫斯科出版　1972年

0787　馬努辛　論湯顯祖紫簫記
遠東文學研究的理論問題　頁103-112　莫斯科出版　1974年

0788　馬努辛　湯顯祖戲曲紫釵記與紫簫記
中國語文學問題　莫斯科出版　1974年

0789 段啓明 紫簫記散論
西南師範學院學報（哲社版） 1984年1期（總第30期）頁35-39

0790 拾 風 從紫簫記到紫釵記：湯顯祖的一次自我超越
上海戲劇 1987年2期 頁6-

0791 羅秋昭 湯顯祖的紫簫記與紫釵記
臺北師專學報 第14期 頁143-163 1987年6月

0792 沈鴻鑫 紫簫記傳奇
中國古典名劇鑑賞辭典 頁367-371 上海 上海古籍出版社 1990年12月

0793 張 敬 紫釵記與紫簫記之研究
清徽學術論文集 頁285-355 臺北 華正書局 1993年8月

2. 作成時代

0794 趙景深 紫簫記的作者問題
戲曲筆談 讀湯顯祖劇隨筆（四） 頁122-124 北京 中華書局 1962年11月

0795 周悅文 也談紫簫記的創作年代
湯顯祖研究論文選 頁 - 江西省撫州地區紀念湯顯祖逝世366週年領導小組辦公室 1982年9月

0796 鄧長風 紫簫記未成與政治糾紛有關——與徐朔方同志商榷
浙江學刊 1986年第1、2期合刊 頁83-
明清戲曲家考略 頁104-114 上海 上海古籍出版社 1994年12月

0797 徐朔方 再論紫簫記未成與政治糾紛無關：答鄧長風同志的批評
浙江學刊 1986年4期 頁33-

3. 札 記

0798 吳 梅 紫簫記跋
新曲苑 霜崖曲跋 卷3 上海 中華書局 1940年
湯顯祖研究資料彙編（下） 頁786-787 上海 上海古籍出版社 1986年9月

0799 張家英 談紫簫記札記
哈爾濱師專學報（社科版） 1988年1期 頁96-97

四、紫釵記

1. 概　述

0800　吳　梅　　紫釵記
國學叢刊　第1卷第3期　1923年9月

0801　佚　名　　紫釵記提要
曲海總目提要　卷6　上海　大東書局　1928年
曲海總目提要　卷6　北京　人民文學出版社　1959年
曲海總目提要　卷6　臺北　新興書局　1967年
曲海總目提要　卷6　北京　天津古籍書店　1992年6月

0802　青木正兒　紫簫記及び紫釵記
支那近世戲曲史　第9章　東京　弘文堂　1930年
青木正兒全集　第3卷　支那近世戲曲史　第9章　頁202-207
東京　春秋社　1972年9月

0803　青木正兒著、鄭　震譯　紫簫記與紫釵記
中國近代戲曲史　第9章　上海　北新書局　1933年3月

0804　青木正兒著、王古魯譯　紫簫記與紫釵記
中國近世戲曲史　第9章　頁232-236　上海　商務印書館
1936年2月；上海　中華書局　1954年增訂版；上海　上海
文藝出版社　1956年；北京　作家出版社　1958年；香港
中華書局　1975年；臺北　臺灣商務印書館　1965年臺１版

0805　趙景深　　湯顯祖的紫釵記
讀曲隨筆　上海　北新書局　1936年11月
中國戲曲初考　頁166-168　鄭州　中州書畫社　1983年8月

0806　岩城秀夫　紫釵記
中國戲曲演劇研究　頁171　東京　創文社　1972年

0807　馬努辛　　湯顯祖戲曲紫釵記與紫簫記
中國語文學問題　莫斯科出版　1974年

0808　羅秋昭　　湯顯祖的紫簫記與紫釵記
臺北師專學報　第14期　頁143-163　1987年6月

0809　林華標　　玉茗堂四夢之紫釵記雜評
文史學報　第11期　頁33-37　1975年5月

0810　沈鴻鑫　　紫釵記傳奇
中國古典名劇鑑賞辭典　頁371-374　上海　上海古籍出版社

1990年12月

0811 張 敬 紫釵記與紫簫記之研究
清徽學術論文集 頁285-355 臺北 華正書局 1993年8月

2. 作成時代

0812 夏寫時 湯顯祖紫釵記成年考
學術月刊 1984年1期 頁63-64轉頁45 1984年1月
中國古代、近代文學研究(複印報刊資料) 1984年4期 頁98-100
論中國戲劇批評 頁288-294 濟南 齊魯書社 1988年10月

3. 本事探源

0813 廖玉蕙 霍小玉故事的演變
幼獅月刊 第45卷5期(總293號) 頁61-65 1977年5月

0814 萬斌生 從霍小玉傳到紫釵記的得失
湯顯祖研究論文選 頁 - 江西省撫州地區紀念湯顯祖逝世366週年領導小組辦公室 1982年9月
湯顯祖研究論文集 頁444-462 北京 中國戲劇出版社 1984年5月

0815 陳宗琳 紫釵記淺析:談湯顯祖對霍小玉傳的改造
貴州大學學報(社科版) 1987年4期 頁57-

0816 袁行霈、李 簡 人間何處說相思
中國歷代愛情文學系列賞析辭典 頁5-14 哈爾濱出版社 1991年12月

4. 思想研究

0817 侯外廬 論湯顯祖紫釵記和南柯記的思想性
新建設 1961年7期
論湯顯祖劇作四種 頁20-39 北京 中國戲劇出版社 1962年6月
湯顯祖研究資料彙編(下) 頁814-833 上海 上海古籍出版社 1986年9月

0818 江 夏 對紫釵記思想內涵及古典名劇改編路子的意見舉隅

湯顯祖研究論文選 頁 - 江西省撫州地區紀念湯顯祖逝世366週年領導小組辦公室 1982年9月

0819 姚品文 紫釵記思想初探
江西師院學報(哲社版) 1983年3期 頁86-

0820 王 河 從紫釵記到牡丹亭:湯顯祖創作思想的飛躍
江西社會科學 1983年5期 頁121-

5. 寫作藝術

0821 金夕中 淺談紫釵記的結構藝術
中國古代、近代文學研究(複印報刊資料) 1981年16期 頁81-84

0822 鄧長風 一個打著時代烙印的悲劇:論紫釵記的大團圓結局
四川大學學報(哲社版) 1986年3期 頁82-

6. 人物研究

0823 鄧長風 「枉築」難分、「強合」乃成的悲劇群像——紫釵記人物論
四川大學學報 1986年3期
明清戲曲家考略 頁115-124 上海 上海古籍出版社 1994年12月

0824 金寧芬 紫釵記中的風塵三俠
光明日報 第3版 文學遺產 第620期 1984年1月10日

0825 金寧芬 紫釵記中的李益形象
光明日報 第3版 文學遺產 第621期 1984年1月17日

0826 陳美雪 善與惡的衝突——論紫釵記中的霍小玉和盧太尉
世界新聞傳播學院人文學報 第4期 頁73-92 1996年1月

7.札 記

0827 錢英郁 談紫釵記與南柯夢記的札記
藝譚 1983年1期 頁70-

8. 比較研究

0828 綠 依 烏闌誓與紫釵記
劇學月刊 第3卷12期 1934年12月

0829 戴不凡 紫玉釵和紫釵記
戲劇報 1959年20期 頁9-13 1959年10月30日

9. 改編劇本

0830 黃文錫 從紫簫到紫釵
知識窗 1981年第6期

0831 黃文錫 紫釵記改編斷想
影劇新作 1982年第1期

0832 黃文錫改編 紫釵記（八場贛劇高腔）
影劇新作 1981年第4期

0833 黃文錫 「情」以格「權」，「情」終勝「權」——改編紫釵記的一點認識
南昌晚報 1982年9月15日

0834 鳳 雛、守 維 精心理妙曲、巧手綴奇編——評紫釵記的贛劇改編本
影劇新作 1982年4期

0835 齊芻言 也從改編演出湯顯祖劇作引起的討論談開去——兼評黃文錫的紫釵記改編本
湯顯祖研究論文選 頁 - 江西省撫州地區紀念湯顯祖逝世366週年領導小組辦公室 1982年9月

0836 毛禮鎂 渲染情至，以情格權——贛劇紫釵記舞臺藝術淺探
湯顯祖紀念集 頁297-308 南昌 江西省文學藝術研究所 1983年10月

0837 郭紀金 紫釵緣（新編京劇，取材于湯顯祖《紫釵記》<墜釵燈影>等齣）
江西戲劇 1982年第2期

0838 萬斌生改編 紫釵記（九場宜黃戲）
整理改編臨川四夢——湯顯祖歷史故事劇專輯 江西省撫州地區紀念湯顯祖逝世366週年領導小祖辦公室 1982年9月

五、牡丹亭

1. 概　述

0839　佚　名　牡丹亭記提要
傳奇彙考　卷5　古今書室刊本　1914年
傳奇彙考　卷5　北京　書目文獻出版社　1994年3月

0840　佚　名　還魂記提要
曲海總目提要　卷6　上海　大東書局　1928年
曲海總目提要　卷6　北京　人民文學出版社　1959年
曲海總目提要　卷6　臺北　新興書局　1967年
曲海總目提要　卷6　北京　天津古籍書店　1992年6月

0841　張友鸞　湯顯祖及其牡丹亭
上海　光華書局　121頁　1930年1月

0842　青木正兒　還魂記
支那近世戲曲史　第9章　東京　弘文堂　1930年
青木正兒全集　第3卷　支那近世戲曲史　第9章　頁207-214　東京　春秋社　1972年9月

0843　青木正兒著、鄭　震譯　還魂記
中國近代戲曲史　第9章　上海　北新書局　1933年3月

0844　青木正兒著、王古魯譯　還魂記
中國近世戲曲史　第9章　頁232-236　上海　商務印書館　1936年2月；上海　中華書局　1954年增訂版；上海　上海文藝出版社　1956年；北京　作家出版社　1958年；香港　中華書局　1975年；臺北　臺灣商務印書館　1965年臺1版

0845　平　伯　牡丹亭贊
東方雜誌　第31卷第7期　頁131-140　1934年4月
論詩詞曲雜著　頁733-749　上海　上海古籍出版社　1983年10月
俞平伯詩詞曲論著　頁733-749　臺北　長安出版社　1986年4月
湯顯祖研究資料彙編（下）　頁985-1002　上海　上海古籍出版社　1986年9月

0846　萬雲駿　贊俞平伯〈牡丹亭贊〉
戲劇藝術　1990年3期（總第51期）　頁105-107　1990年

0847　江寄萍　　讀牡丹亭
論語半月刊　第39期　頁723-724　1934年4月16日

0848　土玉章　　關於牡丹亭
文學期刊　創刊號　1934年7月

0849　歸辰因　　還魂記及其作者
北平華北日報　每日文藝　98期　1935年3月11日

0850　平　伯　　牡丹亭贊之四
武大文哲季刊　第4卷第3期　1935年6月
論詩詞曲雜著　頁750-778　上海　上海古籍出版社　1983年10月
俞平伯詩詞曲論著　頁750-778　臺北　長安出版社　1986年4月

0851　夐　父　　湯若士牡丹亭
北平晨報　藝圃　1936年5月20、22日

0852　王季思　　牡丹亭略說
國文月刊　第31、32期合刊　頁32-33　1944年10月

0853　吳重翰　　湯顯祖與還魂記
文理學報　第1卷2期　頁17-43　1946年12月
廣州　建成教育用品供應社　54頁　1947年1月

0854　李漢英　　湯顯祖與牡丹亭
文學遺產增刊　第1輯　頁263-270　北京　作家出版社　1955年4月；香港　聯合出版社　不著出版年月
宋元明清劇曲研究論叢　第4集　頁97-104　香港　大東圖書公司　1979年12月
湯顯祖研究資料彙編（下）　頁1032-1040　上海　上海古籍出版社　1986年9月

0855　溫　淩　　談牡丹亭
光明日報　文學遺產　第102期　1956年4月29日
元明清戲曲研究論文集　頁362-369　北京　作家出版社　1957年7月
中國古典文學參考資料（下）　頁279-285　香港　一新書店
古典戲曲研究論集　頁119-126　香港　宏智書店

0856　陳志憲　　牡丹亭
草地　1956年第11期

0857　黃芝岡　　湯顯祖的時代精神和他的牡丹亭
南國戲劇　1957年1期

0858　陳廣平　論牡丹亭
蘭州大學學報　1957年第1期
0859　鄧魁英　論牡丹亭
文學遺產增刊　第4輯　頁182-204　北京　作家出版社　1957年3月；香港　聯合出版社　不著出版年月
宋元明清劇曲研究論叢　第4集　頁74-96　香港　大東圖書公司　1979年12月
古代小說戲曲論叢　頁319-341　北京　中華書局　1985年5月
0860　田　漢　還魂記及其他
人民日報　1959年6月8日
0861　趙景深　讀湯顯祖傳奇札記之一——戲曲牡丹亭研究
語言文學　1959年5期
0862　王　梅　湯顯祖寫牡丹亭
昭烏達盟族師專學報　1981年2期　頁88-
0863　徐朔方　論牡丹亭
牡丹亭　卷首
論湯顯祖及其他　頁34-54　上海　上海古籍出版社　1983年8月
0864　黃寶蘭　牡丹亭——紀念湯顯祖誕生四百一十週年
文藝世紀　1960年8期　頁2-3轉頁6　1960年8月
0865　侯外廬　湯顯祖牡丹亭還魂記外傳
人民日報　1961年5月3日
論湯顯祖劇作四種　頁1-19　北京　中國戲劇出版社　1962年6月
湯顯祖研究資料彙編（下）　頁1060-1078　上海　上海古籍出版社　1986年9月
0866　歐纈芳　湯顯祖及其還魂記
（上）大陸雜誌　第22卷9期　頁14-20　1961年5月15日
（中）大陸雜誌　第22卷10期　頁26-31　1961年5月31日
（下）大陸雜誌　第22卷11期　頁23-27　1961年6月15日
0867　黃清泉　湯顯祖與牡丹亭
湖北日報　1962年9月12日
0868　陳中凡　湯顯祖牡丹亭簡論
文學評論　1962年第4期　頁56-70　1962年8月
陳中凡論文集　頁1217-1241　上海　上海古籍出版社　1993

年8月
0869　趙景深　牡丹亭
戲曲筆談　明代的戲曲和散曲（六）　頁67-70　北京　中華書局　1962年11月
0870　宋丹昂　湯顯祖與牡丹亭
臺北　臺灣大學中國文學研究所碩士論文　1965年
0871　陳萬鼐　湯顯祖之牡丹亭
元明清劇曲史　第29章　頁468-479　臺北　中國學術獎助委員會　1966年2月
0872　潘群英　湯顯祖牡丹亭考述
臺北　政治大學中國文學研究所碩士論文　1967年　盧元駿指導
臺北　嘉新水泥公司文化基金會　1969年8月
0873　鍾慧玲　牡丹亭
文海　第17期　頁33-35　1970年5月
0874　劉中龢　湯顯祖牡丹亭欣賞
新文藝　第204期　頁92-105　1973年3月
0875　王止峻　亙古戀曲牡丹亭
中外雜誌　第15卷6期　頁95-103　1974年6月
0876　佚　名　湯顯祖和他的牡丹亭
中國文選　第88期　頁112-115　1974年8月
0877　杜　若　湯若士的牡丹亭
臺肥月刊　第16卷1期　頁33-39　1975年1月
0878　陳慧樺　論湯顯祖的牡丹亭
幼獅月刊　第41卷4期　頁40-50　1975年4月
0879　何世強　牡丹亭研究
香港　珠海書院中國文學研究所碩士論文　708頁　1975年
0880　佚　名　牡丹亭
文學研究論叢　頁260-262　臺北　莊嚴出版社　1978年10月
0881　甯　遠　清詞麗句牡丹亭
中華文藝　第16卷2期　頁39-44　1978年10月
0882　陳美林　湯顯祖與牡丹亭
瀋陽師院學報　1979年1、2期合刊
0883　木　公　湯顯祖和他的牡丹亭
星火　1979年2期　頁55
中國古代、近代文學研究（複印報刊資料）　1979年3期

0884　顧杰善　試論牡丹亭
齊齊哈爾師院學報　1979年第3期
0885　李悔吾　湯顯祖和他的牡丹亭
湖北日報　1979年8月26日
0886　思　嚴　湯顯祖的牡丹亭還魂記
海洋文藝　第6卷10期　頁132-137　1979年10月
集粹　1981年3期
0887　鍾林斌　浪漫主義的愛情悲喜劇牡丹亭
中國古典戲曲名著簡論　春風文藝出版社　1979年11月
0888　郭文瑞　湯顯祖和他的牡丹亭
晉陽文藝　1980年11號　頁54-58　1980年11月
0889　宋建華　湯顯祖與牡丹亭
戲曲藝術　1981年1期　頁71-
0890　方　舟　湯顯祖和他的牡丹亭
福建戲劇　1981年1期　頁23-
0891　倪復賢　湯顯祖和他的牡丹亭
青海師範學院學報（哲社版）　1981年2期　頁31-
0892　周先慎　牡丹亭散論
文史知識　1981年3期　頁7-15　1981年5月
0893　張秀蓮　湯顯祖和牡丹亭
人民戲劇　1981年6期　頁57　1981年6月
0894　劉東升　湯顯祖及其牡丹亭
北京戲劇報　1981年35期　頁2
0895　趙知人　湯顯祖與牡丹亭
大華晚報　1981年12月13日
0896　馬少波　牡丹亭上三生路寫到羅裙哭當歌
北京藝術　1981年第8期　頁32-
戲曲藝術論集　頁413-422　北京　中國戲劇出版社　1982年4月
0897　黃芝岡　湯顯祖和他的名著還魂記
戲曲研究　第3輯　長春　吉林人民出版社　1981年
0898　周育德　湯顯祖和牡丹亭
文學知識　1982年1期
0899　辛　放　湯顯祖與牡丹亭
江西青年報　第4版　1982年9月18日
0900　蔡繼祥　牡丹亭傳奇

贛東報　第4版　1982年9月25日
0901　張　庚　　和上昆同志談牡丹亭
戲劇報　1983年1期　頁45-47　1983年1月18日
0902　吳　夫　　湯顯祖與牡丹亭傳奇
黑龍江戲劇　1983年2期　頁84-
0903　以　農　　湯顯祖和他的牡丹亭
語文教學（江西師院）　1983年2期
0904　霍松林　　湯顯祖和愛情悲喜劇牡丹亭
陝西教育　1983年7期　頁46-
0905　李松寒　　感人至深的牡丹亭
戲劇與電影　1984年2期　頁34-
0906　朱昆槐　　還魂記傳奇
沈醉東風　頁193-219　臺北　時報文化事業公司　1984年10月
0907　章治和　　淺談牡丹亭
電大學刊（語文版）　1985年1期　頁13-
0908　周先愼　　湯顯祖和牡丹亭
古典戲曲十講　頁134-165　北京　中華書局　1986年8月
0909　徐觀超　　牡丹亭還魂記之研究與考證
致理學報　第6期　頁157-185　1986年11月
0910　張　敬　　湯顯祖及其牡丹亭
中國文學講話（九）明代文學　頁355-390　臺北　巨流圖書公司　1987年5月
0911　王志武　　湯顯祖和愛情悲喜劇牡丹亭
古代戲劇鑑賞辭典　頁781-801　西安　陝西人民出版社　1988年5月
0912　楊振良　　牡丹亭研究
臺灣師範大學國文研究所博士論文　1988年6月　李殿魁指導
臺北　臺灣學生書局　414頁　1992年3月
0913　宋安華　　湯顯祖和他的牡丹亭
蒲劇藝術　1989年1期　頁26-31
0914　沈鴻鑫、范民聲　牡丹亭傳奇
中國古典名劇鑑賞辭典　頁374-379　上海　上海古籍出版社　1990年12月
0915　吳志達　　至情的頌歌——牡丹亭
明清文學史：明代卷　第7章　頁370-380　武昌　武漢大學

出版社　1991年12月

0916　葉長海、程梅笑　魂牽夢繞牡丹亭
中國歷代愛情文學系列賞析辭典　頁754-764　哈爾濱出版社　1991年12月

0917　胡耀恆　從天理、國法、人情看牡丹亭
復興劇藝學刊　第1期　頁5-9　1992年7月

0918　陸　煒　下半部牡丹亭淺談
劇影月報　1992年9期　頁67-69

0919　徐扶明　湯顯祖與牡丹亭
上海　上海古籍出版社　137頁　1993年11月（中國古典文學基本知識叢書）
1.湯顯祖的生平　頁1-18
2.湯顯祖生活的時代　頁19-34
3.湯顯祖的文學理論　頁35-49
4.牡丹亭的創作過程　頁50-61
5.牡丹亭的主題思想　頁62-74
6.牡丹亭的藝術成就　頁75-102
7.牡丹亭改本概況　頁103-116
8.牡丹亭的流傳與影響　頁117-137

0920　何　寅　再說牡丹亭
山西大學學報（社科版）　1994年2期　頁41-45

0921　郭志超　牡丹亭與詩經
廣東教育學院學報　1985年1期　頁16-18轉頁20

0922　王樹海　牡丹亭與明代狂禪風潮
齊魯學刊　1992年1期　頁53-57

0923　鄭培凱　牡丹亭與中國傳統戲曲
湯顯祖與晚明文化　附錄　頁453-456　臺北　允晨文化公司　1995年11月

2. 作成時代

0924　八木澤元　牡丹亭の版本を論じて其の成立年代に及ぶ
斯文　第22篇1號　頁67　1940年1月

0925　紀　勤　牡丹亭脫稿年月小議
戲文　1982年5期　頁57-

0926　徐朔方　再談牡丹亭的創作年代

戲文　1983年2期　頁61-

0927　鄭　閏　牡丹亭作年質疑
中華文史論叢　1983年2期（總第26期）　頁201 209　1983年6月

0928　朱建明　湯顯祖在蕪湖撰作牡丹亭說
黃梅戲藝術　1988年1期　頁117-120

3. 本事探源

0929　褚人獲　牡丹亭有所本
文藝雜誌　第7期　1915年

0930　譚正璧　傳奇牡丹亭和話本杜麗娘
光明日報　文學遺產　第206期　1958年4月27日
曲海蠡測　頁47-59　杭州　浙江人民出版社　1983年1月
湯顯祖研究資料彙編（下）　頁1057-1060　上海　上海古籍出版社　1986年9月

0931　黃　華　牡丹亭的背景故事
新民晚報　1961年1月23日

0932　姜志雄　一個有關牡丹亭傳奇的話本
北京大學學報　1963年第6期

0933　岩城秀夫　還魂記の藍本
吉川博士退休記念中國文學論集　頁657-672　東京　筑摩書房　1968年3月

0934　鄭培凱　牡丹亭故事來源與文字因襲
抖擻　第39期　頁57-63　1980年7月
湯顯祖與晚明文化　頁185-204　臺北　允晨文化公司　1995年11月

0935　徐朔方　牡丹亭的因襲和創新
劇本　1981年10期　頁93-96　1981年10月
論湯顯祖及其他　頁55-62　上海　上海古籍出版社　1983年8月

0936　平　西　牡丹亭的藍本和影響及其他
湘潭師專學報　1982年第1期　頁67-

0937　高建中　獨創與窠臼——牡丹亭藝術芻議
文藝論叢　第16輯　頁113-133　1982年11月

0938　馬　純　從杜麗娘故事的由來說起

福建戲劇　1982年6期
0939　張燕瑾　論牡丹亭的繼承和發展
中華戲曲　第10輯　頁215-229　太原　山西人民出版社　1991年4月
中國戲曲史論集　頁164-180　北京　北京燕山出版社　1995年3月
0940　李　實　牡丹亭引出的故事
內蒙古日報　1984年1月28日
0941　根ヶ山徹　還魂記における杜詩の受容
中國文學論集　第20集　頁45-65　1991年12月
0942　陳錦釗　李氏焚書對湯顯祖牡丹亭之影響
文海　第19期　頁15-17　1971年5月

4. 主題與思想

0943　泊　生　牡丹亭劇意鱗爪
劇學月刊　第2卷1期　頁1-4　1933年1月；1978年6月影印本
0944　郭漢城　從牡丹亭看傳統劇目的主題思想
戲曲研究　1958年第2期　頁82-90　1958年4月
戲曲劇目論集　頁165-182　上海　上海文藝出版社　1981年7月
0945　程學頤　湯顯祖牡丹亭思想傾向試探——兼談牡丹亭評論中的問題
浙江師院學報（社科版）　1964年第1期
0946　趙永茂　從杜麗娘的典型形象談牡丹亭的思想意義
邊塞　1979年第2期
0947　陳中凡　牡丹亭的反封建主題
書林　1980年第1期　頁35-36　1980年2月
陳中凡論文集　頁1242-1244　上海　上海古籍出版社　1993年8月
0948　張賢蓉　論牡丹亭的創作思想——兼談作品的思想藝術成就
贛南師專學報　1980年試刊
0949　董每戡　肯綮在死生之際——還魂記的思想藝術特色
文學遺產　1980年第2期　頁86-96　1980年9月
0950　南　風　牡丹亭社會意義芻探
文史知識　1982年第3期　頁108-113　1982年3月
0951　成柏泉　「理之所必無，情之所必有」：牡丹亭一解

讀書　1983年1期　頁104-109　1983年1月

0952　劉維俊　簡論牡丹亭的思想性和藝術性
唐山師專學報　1983年2期　頁18-

0953　胡耀恆　牡丹亭中的天理與人情
臺北市藝術季戲劇特刊　1981年

0954　陳慶惠　牡丹亭的主題是肯定人欲，反對理學
復旦學報（社科版）　1984年4期　頁77-81
中國古代、近代文學研究（複印報刊資料）　1984年18期　頁70-74

0955　謝柏良　牡丹亭的主題是情戰勝理：與陳慶惠同志商榷
中山大學研究生學刊（社科版）　1987年4期　頁82-87

0956　宋子俊　「有情人皆成眷屬」之外：牡丹亭主題小議
爭鳴　1986年2期　頁107-110

0957　李家杰　論牡丹亭的理想性質
安徽新戲　1988年5期　頁56-58

0958　陸　煒　牡丹亭的哲學意味：從江蘇省昆劇院的還魂記談起
劇影月報　1988年11期　頁39-41

0959　馮文樓　一個走不出去的圓圈：牡丹亭情理建構的文化心理批判
陝西師大學報（哲社版）　1989年1期　頁125-129

0960　張海鷗　牡丹亭的雙重文化題旨
殷都學刊　1993年1期　頁76-79
中國古代、近代文學研究（複印報刊資料）　1993年4期　頁237-240　1993年4月

0961　張賢蓉　論牡丹亭的創作思想：兼談作品的思想藝術成就
贛南師專學報（綜合版）　1980年試刊號　頁18-

0962　王　河　從紫釵記到牡丹亭：湯顯祖創作思想的飛躍
江西社會科學　1983年5期　頁101-

0963　程華平　論明清牡丹亭創作心理研究
齊齊哈爾師範學院學報（哲社版）　1993年6期　頁69-73

0964　彭　飛　牡丹亭表現的情，僅僅是愛情嗎？
戲曲藝術　1983年2期增刊　頁80

0965　佚　名　王季思教授談牡丹亭的戀愛觀和生死觀
湯顯祖紀念集　頁46-50　南昌　江西省文學藝術研究所　1983年10月

0966　王季思　湯顯祖在牡丹亭裡表現的戀愛觀和生死觀
湯顯祖紀念集　頁165-179　南昌　江西省文學藝術研究所

1983年10月
玉輪軒曲論三編　頁75-88　北京　中國戲劇出版社　1988年

0967　陳　龍　試論牡丹亭中的情
鎮江師專學報（社科版）　1985年4期　頁53-

0968　吳雪璠　論牡丹亭的情至思想及其對老莊自然人性思想的繼承和發展
瀋陽　瀋陽師範學院中國文學研究所碩士論文　1990年

0969　王開初　從西廂記等四部名著看元明清戲劇愛情觀念的演變和發展
戲劇評論　1989年6期　頁66-69
戲曲研究（複印報刊資料）　1990年6期　頁24-27

0970　仇小屏　試論牡丹亭的愛情觀
國文天地　第8卷11期（總第95期）頁62-65　1993年4月

0971　鄧惠瑩　湯顯祖牡丹亭對情愛的歌頌
中央日報　第19版　1995年3月29日

5. 寫作藝術

0972　陳志憲　牡丹亭的浪漫主義色彩和現實主義精神
光明日報　文學遺產　第193期　1958年1月26日
文學遺產選集　第3輯　頁308-320　北京　中華書局　1960年5月
宋元明清劇曲研究論叢　第4集　頁105-117　香港　大東圖書公司　1979年12月
湯顯祖研究資料彙編（下）　頁1041-1056　上海　上海古籍出版社　1986年9月

0973　趙景深　牡丹亭是浪漫主義的戲曲
戲曲筆談　讀湯顯祖劇隨筆（一）　頁114-118　北京　中華書局　1962年11月

0974　吳志達　論牡丹亭的浪漫主義特色
江漢論壇　1980年3期　頁67-73　1980年3月
中國古代、近代文學研究（複印報刊資料）　1980年18期　頁9-15

0975　陳志憲　牡丹亭的浪漫主義色彩和現實主義精神
光明日報　文學遺產　第193期　1958年1月26日
文學遺產選集　第3集　頁308-320　北京　作家出版社　1960年5月

0976　徐應佩、周溶泉、吳功正　人鬼幻化，奇思異想——談牡丹亭的浪漫主義

特色
中國古典文學名著賞析　頁577-591　太原　山西教育出版社　1982年5月

0977　宋綿有　情眞境幻意趣生：論牡丹亭的積極浪漫主義精神
電大文科園地　1985年4期　頁21-23

0978　李曼立　試論牡丹亭浪漫主義的特質
中國文學研究　1989年3期　頁29-35
中國古代、近代文學研究（複印報刊資料）　1990年3期　頁238-244　1990年3月

0979　王季思　怎樣探索湯顯祖的曲意——和侯外廬同志論牡丹亭
文學評論　1963年第3期　頁40-48　1963年3月
玉輪軒曲論　頁219-230　北京　中華書局　1980年1月

0980　金　名　唱盡新詞歡不見——牡丹亭的曲意新探
曲苑　第1輯　頁47-52　南京　江蘇古籍出版社　1984年7月

0981　楊振良　牡丹亭之創作美學
逢甲學報　第22期　頁11-21　1989年11月

0982　高天星　釋感情（從牡丹亭的作者和莊子一些文章談創作感情）
甘肅日報　1962年11月4日

0983　張　敬　湯若士還魂記斠律
行政院國家科學發展委員會研究報告　1963年

0984　張　敬　湯若士牡丹亭還魂記情節配套之分析
東吳文史學報　第1號　頁8-21　1976年3月
清徽學術論文集　頁285-355　臺北　華正書局　1993年8月

0985　南　軫　牡丹亭妙文共賞
大成　第12期　頁52-54　1974年11月

0986　龔維英　牡丹亭的藝術魅力
黑龍江戲劇　1982年第2期　頁82

0987　陳永頂　牡丹亭的成功奧秘
玉茗花　1982年3期

0988　于　汀　試論牡丹亭的語言
惠陽師專學報　1983年1期　頁45-

0989　張燕瑾　牡丹亭語言瑣談
中國戲曲史論集　頁181-184　北京　北京燕山出版社　1995年3月

0990　張　齊　還魂之後有精華
江西戲劇　1982年第3期　頁23-

湯顯祖研究論文集　頁290-295　北京　中國戲劇出版社

0991　賈百卿　牡丹亭的一個漏洞
文學遺產　1985年2期　頁131　1985年6月

0992　葉長海　牡丹亭曲詞漫議
劇壇　1982年第6期　頁30-32　1982年12月

0993　夏寫時　牡丹亭曲意滄桑史
戲劇藝術　1983年1期
論中國戲劇批評　頁271-287　濟南　齊魯書社　1988年10月

0994　陸雨培　試論牡丹亭的戲劇衝突及其社會意義
曲苑　第1輯　頁38-46　南京　江蘇古籍出版社　1984年7月

0995　周錫山　牡丹亭的主要創作特色
文科月刊　1985年4期　頁16-17

0996　楊紹波　生生死死皆情緣——試論牡丹亭的美學價值
貴州民族學院學報　1985年1期

0997　姚　莽　牡丹亭賞鑑
戲劇學習　1985年4期　頁114-

0998　陳慶惠　談牡丹亭的戲劇衝突
浙江師範大學學報（社科版）　1985年4期　頁1-8
戲曲研究（複印報刊資料）　1985年12期　頁49-56　1985年2月

0999　張俠生　反襯藝術手法的妙用——讀曲札記
河南戲劇　1984年2期

1000　李　成　緣情造境，以色傳奇——牡丹亭抒情藝術論（之二）
農墾師專學報　1987年2期　頁79-83轉74

1001　李孝堂　牡丹亭創作方法初探
齊齊哈爾師範學院學報（哲社版）　1989年6期　頁35-39
戲曲研究（複印報刊資料）　1990年3期　頁33-37

1002　吳志達　牡丹亭以虛而用實的藝術特色
明清文學史：明代卷　第7章　頁381-386　武昌　武漢大學出版社　1991年12月

1003　孫康宜著、王瑷玲譯　明傳奇的結構——琵琶記與牡丹亭析論
中國文哲研究通訊　第4卷1期　頁141-152　1994年3月

1004　鄭培凱　湯顯祖的文藝觀與牡丹亭曲文的藝術成就
九州學刊　第6卷3期（總第23期）　頁5-33　1994年12月
湯顯祖與晚明文化　頁205-271　臺北　允晨文化公司　1995年11月

1005　根ヶ山徹　還魂記における集句詩について
廣島女子大學文學部紀要　第30期　1995年
1006　趙景深　牡丹亭是悲劇
江蘇戲劇　1981年第1期　頁35-
中國古典悲喜劇論集　頁100-102　上海　上海文藝出版社　1983年5月
1007　葉長海　牡丹亭的悲喜劇因素
中國古典悲喜劇論集　頁103-112　上海　上海文藝出版社　1983年5月
1008　白先勇　牡丹亭中的愛與死
聯合報　1984年9月8日
1009　胡志毅　牡丹亭的夢情與夢境
藝譚　1985年1期　頁140-
1010　唐雲坤　托意夢幻，震聾發聵：談牡丹亭、邯鄲記的夢幻藝術
影劇新作　1989年1期　頁94-95
1011　岩城秀夫著、翁敏華譯　湯顯祖和他筆下的還魂夢
中華戲曲　第14輯　頁315-324　太原　山西人民出版社　1993年8月
1012　廣瀬玲子　夢の言語，言語の夢——牡丹亭還魂記試論
中國哲學研究　第9期　頁41-80　1995年
1013　汪芳啓　也論牡丹亭的悲喜劇性質
阜陽師院學報　1990年2期　頁51-57
1014　牛鳳昀　牡丹亭對時弊的諷刺
北方論叢　1992年2期　頁69-71
1015　程華平　論牡丹亭研究中的影射問題
煙臺師範學院學報（哲社版）　1994年1期　頁63-68
1016　藍　凡　牡丹亭的舞臺時空處置
黃梅戲藝術　1987年1期　頁118-
1017　和泉ひとみ　湯顯祖の創作方法——還魂記に於ける時間經過の表現を中心にして
關西大學中國文學會紀要　第16期　頁33-48　1995年3月
1018　須永朝彥　還魂記など——中華戲曲の怪異場面
幻想文學　第44期　1995年

6. 各齣析論

(1) 閨塾

1019 楊白樺 試論牡丹亭閨塾
江海學刊 1962年5期

1020 于 雷、徐鳳生 舉重若輕，妙趣橫生——牡丹亭閨塾賞析
上海戲劇 1981年4期 頁34-35 1981年8月

1021 孫占琦 詩無邪與塗嫩鴉——談牡丹亭閨塾的戲劇衝突
朝陽師專學報（社科版） 1984年1期 頁73-

1022 張 俊 讀牡丹亭閨塾
自修大學（文史哲經版） 1984年8期 頁10-

1023 羅煥章 一曲反封建禮教的贊歌——略談湯顯祖牡丹亭閨塾
中國歷代文學名篇欣賞 頁74-81 貴州人民出版社 1985年4月

1024 黃天驥 滲透於筋節髓竅的喜劇氣氛：牡丹亭閨塾賞析
文史知識 1986年8期 頁37-41 1986年8月

1025 蘇 杰 青春的衝撞與躁動——牡丹亭閨塾賞析
古典文學鑑賞集（三） 頁143-148 瀋陽 遼寧教育出版社 1988年8月

1026 周潤水 春香鬧學析
語文函授（江西師院） 1975年4期

1027 徐凌霄 無福之人——原名「春香鬧學」
劇學月刊 第1卷10期 頁1-17 1932年10月；1978年6月影印本

1028 徐凌雲 「春香鬧學」表演一得
大成 第42期 頁59-66 1977年5月

1029 甘雲芝 試析牡丹亭春香鬧學
湯顯祖研究論文選 頁 - 江西省撫州地區紀念湯顯祖逝世366週年領導小組辦公室 1982年9月

1030 吳國欽 折子戲春香鬧學
中國戲曲史漫話 頁195-197 上海 上海文藝出版社 1980年6月
中國戲曲史漫話 頁181-183 臺北 木鐸出版社 1983年8月

(2) 勸農

1031 周月亮 從牡丹亭勸農談起——關於杜寶的形象

文科教學　1981年4期　頁40-

(3) 驚夢

1032　佚　名　　露蘭春蓮英驚夢詞句
　　　　　　　　戲雜誌　第7期　1923年4月
1033　傅惜華　　遊園驚夢之花神
　　　　　　　　大公報　劇壇　1935年1月5、6日
1034　碧渠館主　游園驚夢之花神考
　　　　　　　　昆曲研究會彩纂紀念集　北京國劇學會　1942年6月
1035　吳曉玲　　記牡丹亭裏的花神
　　　　　　　　戲劇電影報　1983年1月30日
1036　梅蘭芳口述、許姬傳記　談遊園驚夢
　　　　　　　　文匯報　1951年1月20-27日
1037　梅蘭芳　　遊園驚夢
　　　　　　　　舞臺生活四十年　上海　平明出版社　1952年5月
　　　　　　　　湯顯祖研究資料彙編（下）　頁1197-1220　上海　上海古籍出版社　1986年9月
1038　俞平伯　　雜談牡丹亭驚夢
　　　　　　　　戲劇論叢　1957年第3輯　頁81-89　1957年8月
　　　　　　　　論詩詞曲雜著　頁779-793　上海　上海古籍出版社　1983年10月
　　　　　　　　俞平伯詩詞曲論著　頁779-793　臺北　長安出版社　1986年4月
　　　　　　　　湯顯祖研究資料彙編（下）　頁1002-1014　上海　上海古籍出版社　1986年9月
1039　梅蘭芳　　遊園驚夢從舞臺到銀幕
　　　　　　　　戲劇報　1961年6、7、8期
　　　　　　　　湯顯祖研究資料彙編（下）　頁1122-1157　上海　上海古籍出版社　1986年9月
1040　秀　眉　　從湯顯祖的遊園驚夢到白先勇的遊園驚夢
　　　　　　　　純文學　第8卷3期　頁17-19　1971年3月
1041　胡耀恆　　論牡丹亭之遊園驚夢及冥判
　　　　　　　　幼獅月刊　第48卷5期　頁63-64　1978年11月
1042　隗　芾　　以情感人情自深——牡丹亭游園析
　　　　　　　　戲劇創作　1980年第3期　頁111-

1043 吳翠芬 如花美眷，似水流年——漫談牡丹亭游園驚夢
江蘇戲劇 1981年5期 頁22

1044 許金榜 絕妙的心理描寫——牡丹亭驚夢片斷欣賞
戲劇界 1981年15期 頁54 1981年6月

1045 彭德緯 青春的覺醒：牡丹亭遊園曲詞的賞析
南苑 1982年6期 頁71-

1046 李 震 牡丹亭游園片斷分析
語文學習 1982年11期 頁40-41 1982年12月
中國古典小說戲劇欣賞 頁263-268 長沙 岳麓書社 1984年5月
中國古典小說戲劇賞析 頁209-215 臺北 木鐸出版社 1986年9月
古典文學名篇賞析 頁220-225 臺北 木鐸出版社 1987年7月

1047 寧 平 動人的思春迎春傷春曲：淺析牡丹亭遊園
中文自學指導 1987年10期 頁37-

1048 李良華 一首情思淒婉的旅春曲：牡丹亭遊園片斷譯析
文科月刊 1988年2期 頁8-10

1049 紀 寧 自我意識的覺醒——牡丹亭游園賞析
古典文學鑑賞集（三） 頁149-156 瀋陽 遼寧教育出版社 1988年8月

1050 許金榜 絕妙的心理描寫——牡丹亭驚夢片斷欣賞
戲劇界 1981年第6期 頁54-57 1981年6月

1051 石 麟 驚夢、離魂、再生
黃石師院學報（哲社版） 1981年2期 頁106-

1052 李彥山 驚夢的心理藝術構成
廣東佛山師專學報 1981年2期

1053 洪 雲 一顆顫動的心在傾訴——談牡丹亭驚夢和尋夢
廣州文藝 1981年第7期 頁45-49 1981年7月

1054 沈義芙 牡丹亭驚夢小議
江西戲劇 1982年第4期 頁17-

1055 黃漢龍 論牡丹亭驚夢
湯顯祖研究論文選 頁 - 江西省撫州地區紀念湯顯祖逝世366週年領導小組辦公室 1982年9月

1056 董大葵 牡丹亭驚夢美學特徵瑣談
湯顯祖研究論文選 頁 - 江西省撫州地區紀念湯顯祖逝

世366週年領導小組辦公室　1982年9月

1057　胡芝風　從遊園驚夢到貴妃醉酒
解放日報　1984年7月8日

1058　寇夢碧　牡丹亭驚夢析句
天津教育學院院刊（社科版）　1985年3期　頁36-

1059　李眞瑜　讀牡丹亭驚夢
名作欣賞　1986年3期　頁49-

1060　金志仁　牡丹亭驚夢新說（附節選）
名作欣賞　1988年5期　頁65-70

1061　吳孟君　滿園春色啓芳心：牡丹亭驚夢賞析
自貢師專學報（綜合版）　1990年3期　頁56-58

1062　艾　岩　遊園驚夢的意境
名作欣賞　1992年5期　頁35-40

1063　金志仁　春歸漫話：談牡丹亭驚夢與詩詞曲中之春歸
南通師專學報（社科版）　1992年2期　頁47-51

1064　陸聯星　針鋒相對，旗幟鮮明：牡丹亭遊園驚夢與琵琶記牛氏規奴
淮北煤師院學報（社科版）　1993年2期　頁68-71

1065　魏子雲　說牡丹亭驚夢的曲意
（上）幼獅文藝　第78卷2期　頁37-42　1993年8月
（下）幼獅文藝　第78卷3期　頁62-69　1993年9月

1066　賴漢屏　良晨美景奈何天——說湯顯祖牡丹亭驚夢曲文
明道文藝　第216期　頁17-25　1994年3月

1067　何東平　讀湯顯祖的驚夢步步嬌
詩探索　1984年10期　頁194-

1068　尙　子　牡丹亭驚夢步步嬌賞析
文科月刊　1985年5期　頁17

1069　劉儒賢　牡丹亭驚夢中「晴絲」「煙絲」非「游絲」辨
四川師院學報（社會科學版）　1983年4期（總第39期）　頁20　1983年12月
中國古代、近代文學研究（複印報刊資料）　1984年14期　頁84

1070　祝肇年　釋「裊晴絲」：讀牡丹亭驚夢札記
中華戲曲　第2輯　頁184-188　太原　山西人民出版社　1986年10月

1071　顧　珠　「迤逗」辨：遊園驚夢內
光明日報　1951年1月13日

文匯報　附刊　1951年1月17日
1072　宋雲彬　談「迤逗」：就正於梅蘭芳先生
文匯報　附刊　1951年1月17日
1073　魏子雲　迤逗的彩雲偏
中華日報　1986年4月1日
看戲與聽戲　頁278-281　臺北　貫雅文化事業公司　1993年4月
1074　祝肇年　皀羅袍曲文釋義——讀牡丹亭隨筆
河北戲劇　1981年第1期　頁31
1075　周慧珍　一曲錦屏人的幽怨之歌：牡丹亭之驚夢皀羅袍賞析
名作欣賞　1986年3期　頁47-
1076　祝肇年　「奼紫嫣紅」曲句瑣談：讀牡丹亭筆記
戲劇學習　1983年4期　頁62-
1077　李　浩　「燕語明如剪」我見
人文雜誌　1984年1期　頁119

(4) 尋　夢

1078　于批亭　尋夢該用什麼樂器伴奏
紅樓夢學刊　1982年1期　頁45-46　1982年2月
1079　張洵澎　學演尋夢
人民戲劇　1982年第9期
1080　方家冀　求熱、求活、求新——張洵澎的崑曲尋夢欣賞
文匯月刊　1982年2期

(5) 寫　真

1081　彭德緯　精神出現留與後人標——漫談牡丹亭中的寫眞
影劇新作　1985年3期

(6) 冥　判

1082　胡耀恆　舊曲新解——論牡丹亭之遊園驚夢及冥判
幼獅月刊　第48卷5期　頁63-64　1978年11月
1083　董每戡　談還魂記的冥判
南國戲劇　1980年第2期
1084　萬斌生　牡丹亭冥判發微

文藝理論家　1990年2期　頁65-68

7. 人物研究

(1) 合　論

1085　梅　溪　　牡丹亭中的幾個人物形象
文史哲　1957年第7期　頁56-61　1957年7月
元明清戲曲研究論文集　二集　頁253-265　北京　人民文學出版社　1959年2月
湯顯祖研究資料彙編（下）　頁1016-1031　上海　上海古籍出版社　1986年9月

1086　周錫山　　牡丹亭人物三題
戲曲研究　第40輯　頁65-76　北京　文化藝術出版社　1992年3月
1.杜麗娘的中國式愛情至上觀
2.柳夢梅的讀書做官道路
3.陳最良形象新議

(2) 杜麗娘

1087　梅蘭芳　　談杜麗娘
戲劇論叢　1957年第3輯　頁69-73　1957年8月
湯顯祖研究資料彙編（下）　頁1220-1226　上海　上海古籍出版社　1986年9月

1088　趙清閣　　杜麗娘(白話小說)
上海　文化出版社　1957年1月

1089　梅蘭芳　　杜麗娘的形象在銀幕上
大衆電影　1960年11期

1090　潘鳳霞　　杜麗娘角色初探
光明日報　1961年11月25日

1091　馬　鈍　　從杜麗娘故事的由來說起
福建戲劇　1982年第6期

1092　方步瀛　　牡丹亭杜麗娘的形象
長江文藝　1962年第10期

1093　侯啓平　　還魂記杜麗娘之分析
臺北　中國文化學院藝術研究所碩士論文　1973年

1094　王一綱　湯顯祖怎樣給杜麗娘以藝術生命
——驚夢、尋夢的人物塑造，兼及馮夢龍的刪改本風流夢
破與立　1979年第4期

1095　趙永茂　從杜麗娘的典型形象談牡丹亭的思想意義
邊塞　1979年第2期　頁363-
光明日報　1979年12月13日

1096　于　汀　執著的愛情，叛逆的性格——杜麗娘形象淺析
廣東惠陽師專學報　1981年1期

1097　陳星鶴　杜麗娘和朱麗葉——兩個反對封建形象的比較
文科教學　1981年2期　頁62-

1098　資料室　劇藝研究——柳夢梅與杜麗娘
國劇月刊　第56期　頁13-20　1981年8月

1099　馬　鈍　從杜麗娘故事的由來說起
福建戲劇　1982年6期　頁10-

1100　鄒自振　從崔鶯鶯到杜麗娘
湯顯祖研究論文選　頁　-　江西省撫州地區紀念湯顯祖逝世366週年領導小組辦公室　1982年9月

1101　張文霞　從杜麗娘的形象看對人性復歸的追求
武漢師院學報（哲社版）　1982年5期　頁93-

1102　江　夏　也談杜麗娘的性格發展
爭鳴　1982年第4期　頁66-69　1982年10月

1103　薛寶琨　杜麗娘形象的藝術光輝——牡丹亭學習札記
古典文學論叢　第2輯　頁353-368　西安　陝西人民出版社　1982年12月

1104　石經綸　杜麗娘性格發展初探
藝譚　1983年1期　頁74-

1105　劉文峰　湯顯祖臥薪哭麗娘
晉陽文藝　1984年9期　頁59-

1106　冰　篁　杜麗娘論
湘西自治州教師進修學院院刊（社科版）　1985年1期　頁100-110
中國古代、近代文學研究（複印報刊資料）　1985年18期　頁77-87

1107　許祥麟　淺析杜麗娘形象及其意義
電大文科園地　1985年4期　頁10-12

1108　陳彝華　杜麗娘的藝術魅力何在

雲南戲劇　1986年2期　頁41-

1109　魏崇新　試談杜麗娘的心理機制
名作欣賞　1986年3期　頁53-

1110　潘建宏　從牡丹亭遊園驚夢六曲看杜麗娘其人
大理師院學報（社科版）　1987年2期　頁128-131
戲曲研究（複印報刊資料）　1987年11期　頁60-63

1111　劉天茂　杜麗娘夢境簡析
郴州師專學報（社科版）　1988年1期　頁132-133

1112　范有盛　談牡丹亭中的杜麗娘
佳木斯師範學院學報　1988年1期　頁55-59

1113　姜　進　杜麗娘
語文學刊（內蒙古師大學報）　1989年6期　頁21-23

1114　林　玲　湯顯祖筆下的杜麗娘——兼談驚夢的搬演
國文天地　第7卷10期　頁59-63　1992年3月

1115　朱偉明　鬼可虛情，人須實禮——杜麗娘形象的心理分析
湖北大學學報（哲社版）　1992年5期　頁16-20
中國古代、近代文學研究（複印報刊資料）　1993年2期　頁235-239　1993年2月

1116　秦效成　論杜麗娘
徽州師專學報（哲社版）　1993年1期　頁26-33

1117　黃文錫　杜麗娘性格發展
撫州師專學報　1993年3期　頁6-11轉頁16

1118　黃文錫　杜麗娘性格發展淺析
國文天地　第9卷9期（總第105期）　頁74-78　1994年2月

1119　文月嶔　杜麗娘形象淺議
內蒙古電大學刊（哲社版）　1993年4期　頁17-18

1120　郭海鷹　非夢不足表其情，非夢不足達其意——釋夢重論杜麗娘
韶關大學學報（社科版）1995年3期　頁68-75
中國古代、近代文學研究（複印報刊資料）　1996年1期　頁201-208　1996年1月

1121　蔣星煜　湯顯祖與西廂記：有關崔鶯鶯、杜麗娘比較研究的一些看法
江西師大學報（哲社版）1984年3期　頁37-43
中國古代、近代文學研究（複印報刊資料）　1984年16期　頁74-80

1122　鄒自振　崔鶯鶯、杜麗娘之比較
撫州師專學報　1985年1期　頁54-

1123 黃　進　從崔鶯鶯、杜麗娘到林黛玉
汕頭大學學報（人文版） 1986年2期 頁80-

1124 馬樹國　崔鶯鶯與杜麗娘
太原師專學報（哲社版） 1987年2期 頁48-51

1125 梅　淩　崔鶯鶯、杜麗娘、林黛玉之比較
江漢大學學報 1993年1期 頁69-73

1126 王德亞　崔鶯鶯與杜麗娘
河北大學學報（哲社版） 1988年4期 頁78-86

1127 林明華　中國女性情愛自主意識的時代差：崔鶯鶯與杜麗娘比較
中國文學研究 1991年3期 頁52-58

1128 付明居　自然天成對封建禮教的勝利：崔鶯鶯與杜麗娘形象比較談
牡丹江社會科學 1991年4期 頁61-63

1129 陳玉蘭　從明清經濟與學術發展的趨勢上評杜麗娘與林黛玉形象的意義
理論學習 1987年5期 頁71-

1130 單世聯　情之所鍾，正在此輩：從杜麗娘到林黛玉
廣東社會科學 1990年4期 頁112-117

1131 陳清芳　萬豔同悲奈何天：杜麗娘、林黛玉比較談片
福建學刊 1991年6期 頁61-63轉頁39

1132 熊曉平　中國女性意識的覺醒：湯顯祖、曹禺筆下的三個女性形象簡析
黑龍江教育學院學報 1990年3期 頁73-76

1133 劉勁予　沙恭達羅與杜麗娘
廣東教育學院學報（社科版） 1991年4期 頁59-65

1134 于長河　杜麗娘與朱麗葉——讀牡丹亭、羅密歐與朱麗葉札記
錦師院分校學報 1982年4期 頁28-34
中國古代、近代文學研究（複印報刊資料） 1983年2期 頁141-147

1135 余三定　同中見異，異中有同：試比較朱麗葉與杜麗娘的形象
岳陽師專學報 1983年1、2期合刊 頁61-

1136 王克黎　論朱麗葉與杜麗娘的悲劇美
大慶師專學報 1990年2期 頁34-37

1137 梅志清　中西二佳麗：杜麗娘與朱麗葉比較
眞善美 1991年5期 頁10-12

1138 夏茵英　杜麗娘與苔絲狄蒙娜
比較文學三百篇 頁953-956 上海 上海文藝出版社 1990年

(3) 柳夢梅

1139　白雲生　談柳夢梅
戲劇論叢　1957年3輯　頁74-80　1957年8月
湯顯祖研究資料彙編（下）　頁1232-1242　上海　上海古籍出版社　1986年9月

1140　昭　民　柳夢梅與蔣遵箴——牡丹亭人物史話
江西戲劇　1982年第2期　頁16-

1141　墨遺萍　夢柳得柳及其他
陝西戲劇　1981年11期　頁60-61　1981年11月

1142　楊　萌　試析柳夢梅：兼與中國戲曲曲藝詞典·牡丹亭詞條商榷
戲劇世界　1986年5期　頁50-

1143　孔　瑾　癡情才子血性男兒：談湯顯祖牡丹亭中的柳夢梅
戲劇　1995年3期　頁22-27

(4) 杜　寶

1144　周月亮　從牡丹亭勸農談起——關於杜寶的形象
文科教學　1981年4期　頁40-

1145　陸　力　論杜寶形象的複雜性和杜麗娘的悲劇命運
錦州師院學報（哲社版）　1987年1期　頁41-47
中國古代、近代文學研究（複印報刊資料）　1987年3期　頁214-220　1987年3月

1146　孔　瑾　杜寶一個封建正統的典型：兼談牡丹亭人物塑造的一個特點
劇作家　1989年5期　頁86-88

(5) 其　他

1147　黃德榮　牡丹亭中石道姑形象略辯
江西社會科學　1981年5、6期合刊　頁135-

1148　王仁銘　牡丹亭中的特殊人物——論陳最良
江漢論壇　1990年10期（總第122期）　頁76-80轉封3　1990年10月

1149　李　抒　像仙女一般的鬼：談牡丹亭中的鬼魂
新民報晚刊　1956年8月19日

8. 名物研究

1150　根ヶ山徹　還魂記における梅花の形象
九州中國學會報　第29輯　頁63-82　1991年4月
1151　知　任　牡丹亭中的「南安」不在福建（札記三則）
光明日報　文學遺產142期　1957年2月3日

9. 札　記

1152　志　攘　浣溪沙——題牡丹亭還魂記
復報　第6期　1906年11月11日
1153　穎　陶　牡丹亭贅語
劇學月刊　1936年6月
1154　滄　玉　牡丹亭札記
北平半月劇刊　第11、12期　1937年2月
1155　知　任　雜記二則：（1）牡丹亭中的南安不在福建，（2）杜麗娘的姑母是誰
光明日報　1957年2月3日
1156　顏慧雲　牡丹亭二三事
奔流　1961年第8期
1157　傅繼馥　商小玲故事說明了什麼？
光明日報　文學遺產　第528期　1965年10月17日
1158　徐澐秋　牡丹亭
藝林叢錄　第7編　頁279-281　香港　商務印書館　1973年1月
藝林叢錄　第7編　頁279-281　臺北　谷風出版社　1986年9月
1159　金　名　但是相思莫相負
上海戲劇　1982年第5期
1160　盧和興、高玉光　南國何處牡丹亭
江西青年報　第4版　1982年10月21日
1161　陳　多　讀牡丹亭札記
江西戲劇　1982年第3期　頁5-
湯顯祖研究論文集　頁255-273　北京　中國戲劇出版社　1984年5月
1.牡丹亭的讀法
2.爲什麼這樣寫閨塾中的春香？
3.父女、翁婿間的矛盾消除了嗎？

1162 吳小如 關於牡丹亭的幾件小事
湯顯祖研究論文集 頁274-289 北京 中國戲劇出版社 1984年5月
1.關於杜麗娘慕色還魂話本
2.關於清人淩廷堪的論曲絕句
3.關於牡丹亭的改編及其他
附錄：一個有關牡丹亭傳奇的話本

1163 吳小如 關於牡丹亭札記三則
學林漫錄 第10集 頁192-202 北京 中華書局 1985年5月（前文的修改本）
1.關於杜麗娘慕色還魂話本
2.關於清人淩廷堪的論曲絕句及金錢記雜劇
3.關於牡丹亭的改編及其他

1164 王 河 牡丹亭軼事今錄
江西社會科學研究資料 1982年第11期

1165 秦瘦鷗 牡丹亭斷想
解放日報 1982年6月6日

1166 林涵表 作者的答覆
戲曲研究 1958年1期

1167 王染野 湯顯祖的牡丹亭本來是昆曲嗎？
劇影月報 頁24-26 1990年11月12日
戲曲研究（複印報刊資料） 1991年6期 頁2

1168 熊承忠等 牡丹亭記與江西大余
贛南師範學院學報（哲社版） 1989年3期

1169 黃 華 牡丹亭的插圖
文匯報 1961年1月16日

1170 佚 名 牡丹亭人物圖
上海 上海書畫出版社 1987年9月

1171 胡 晨 徐注本牡丹亭和長生殿曲律上的疏誤
齊魯學刊 1988年1期 頁41-

10.比較研究

(1) 與元雜劇

1172 吳曉報 牡丹亭與倩女離魂

光明日報　1963年10月10日
1173　陳美琳　魂離.夢遇——淺談倩女離魂和牡丹亭情節提煉
江蘇戲劇　1981年第7期　頁43-
1174　齊裕焜　獨放異彩——牡丹亭與西廂記的比較
名作欣賞　1982年1期　頁32-34　1981年2月
古典小說戲劇名作賞析　頁227-234　太原　山西人民出版社　1985年9月
1175　徐鳳生、于雷　驚夢·離魂·遊陰：西廂記、倩女離魂、牡丹亭的浪漫主義創作方法初探
江西戲劇　1983年11期　頁51-
1176　徐扶明　西廂記、牡丹亭和紅樓夢
紅樓夢研究集刊　第6輯　頁181-204　1981年11月
紅樓夢與戲曲比較研究　頁161-184　上海　上海古籍出版社　1984年12月
1177　蔣星煜　湯顯祖與西廂記——有關崔鶯鶯、杜麗娘比較研究的一些看法
江西師範大學學報（哲社版）　1984年3期
1178　黃幼珍　高情傳唱牡丹亭，縱使西廂亦減價
社會科學（甘肅）　1986年5期　頁96-102
包頭師範學院學報（綜合版）　1987年1期　頁20-27
1179　齊裕焜　西廂記與牡丹亭比較
上海　上海古籍出版社　1987年
1180　寧宗一　愛情題材：從發展層次上觀點：兼論西廂記與牡丹亭之異同
戲曲藝術　1992年1期　頁29-34（或作2期　頁44-47）
1181　陸　力　略論西廂記與牡丹亭的團圓結局
錦州師院學報（哲社版）　1993年3期　頁73-77

(2)　與明代作品

1182　張建川　一組婦女解放的協奏曲：明代戲曲雌木蘭、女狀元、與牡丹亭
南充師院學報（哲社版）　1986年1期　頁119-
1183　卜　鍵　美醜都在情和欲之間：牡丹亭與金瓶梅比較談片
文學評論　1987年5期　頁142-148　1987年9月
中國古代、近代文學研究（複印報刊資料）　1987年11期　頁213-219　1987年11月
比較戲劇論文集　頁417-431　北京　中國戲劇出版社　1988年12月（篇名作〈牡丹亭與金瓶梅比較一得〉）

(3) 與清代作品

1184 劉孝嚴 貌似而神離，形近而實遠——牡丹亭與長生殿愛情描寫的比較
東北師大學報（哲社版） 1991年5期（總第133期） 頁71-75 1991年9月

1185 徐人忠 形非似，神更異：牡丹亭、長生殿愛情描寫之比較
東岳論叢 1995年5期 頁102-108

1186 平 西 從西廂記、牡丹亭看桃花扇中愛情主題的發展
湘潭師專學報（社科版） 1982年2期 頁81-84
中國古代、近代文學研究（複印報刊資料） 1982年24期 頁89-92

1187 秦文兮 從西廂記、牡丹亭看桃花扇中愛情主題的發展
武漢大學學報（社科版） 1983年2期 頁72-73

1188 鄭培凱 一時文字業，天下有心人——牡丹亭與紅樓夢在社會史層面的關係
抖擻 第52期 頁28-39 1983年1月
湯顯祖與晚明文化 頁273-312 臺北 允晨文化公司 1995年11月

1189 穎 陶 牡丹亭與天仙聖母源流泰山寶卷
劇學月刊 4卷4期 1935年9月

(4) 與外國劇本

1190 李家杰 從阿達拉看牡丹亭的創作原則
合肥教育學院學報（社科版） 1990年1期 頁51-58

1191 陳玉輝 東方戲劇史上的雙璧：沙恭達羅與牡丹亭
國外文學 1990年2期 頁55-69

1192 陳星鶴 杜麗娘和朱麗葉——兩個反封建形象的比較
文科教學 1981年2期

1193 南 斗 牡丹亭與羅密歐與朱麗葉
吉首大學學報（社科版） 1983年1期 頁51-

1194 佚 名 陳瘦竹教授談牡丹亭和羅密歐與朱麗葉
湯顯祖紀念集 頁50-54 南昌 江西省文學藝術研究所 1983年10月

1195 陳瘦竹 異曲同工
湯顯祖紀念集 頁180-195 南昌 江西省文學藝術研究所 1983年10月

1196 陳瘦竹 關於牡丹亭和羅密歐與朱麗葉
湯顯祖研究論文集 頁224-254 北京 中國戲劇出版社 1984年5月
1197 楊桂珍 論羅密歐與朱麗葉與牡丹亭共同的反封建的主題思想
學生論文選編 頁214-224 延邊大學科研處 1984年
1198 吳金夫 牡丹亭和羅密歐與朱麗葉
寶雞師院學報(哲社版) 1986年2期 頁79-
1199 王克恭 論朱麗葉與杜麗娘的悲劇美
大慶師專學報 1990年2期 頁34-37
1200 吳林抒 湯氏與莎翁,東西相輝映:兼論牡丹亭和羅密歐與朱麗葉
文藝理論家 1990年2期 頁53-55
1201 謝裕忠、鄭松錕 羅密歐與朱麗葉與牡丹亭結構之比較
外國文學 1991年3、4期合刊 頁85-97
1202 李正民 略論牡丹亭與哈姆萊特
中華戲曲 第7輯 頁210-222 太原 山西人民出版社 1988年12月
1203 白 芝(Cyril Birch)著、龔文庠譯 冬天的故事與牡丹亭
讀書 1984年2期 頁120-126
中國古代、近代文學研究(複印報刊資料) 1984年6期 頁72-76
1204 白 芝(Cyril Birch)著、熊玉鵬摘譯 冬天的故事與牡丹亭
文藝理論研究 1984年2期 頁65-

11. 改編劇本

(1) 總 論

1205 張 齊 略論牡丹亭的精華所在及其改編
湯顯祖研究論文選 頁 - 江西省撫州地區紀念湯顯祖逝世366週年領導小組辦公室 1982年9月
1206 夏寫時 談牡丹亭的改編問題
戲劇藝術 1983年1期(總第21期) 頁40-47 1983年2月
1207 俞爲民 評牡丹亭的明清改本
文學評論叢刊 第30輯 頁325-339 北京 中國社會科學出版社 1988年4月
明清傳奇考論 頁121-144 臺北 華正書局 1993年7月

1208 趙景深 牡丹亭的原本和改本
戲曲筆談 讀湯顯祖劇隨筆（二） 頁118-120 北京 中華書局 1962年11月

(2) 明代改本

1209 趙景深 談牡丹亭的改編
光明日報 1958年1月12日
戲曲筆談 讀湯顯祖劇隨筆（七） 頁128-134 北京 中華書局 1962年11月
湯顯祖研究資料彙編（下） 頁1098-1104 上海 上海古籍出版社 1986年9月

1210 吳曉玲 從呂碩園訂的牡丹亭談到考證工作
光明日報 文學遺產 第263期 1959年6月7日

1211 周育德 「呂家改的」及其他
湯顯祖論稿 頁303-314 北京 文化藝術出版社 1991年6月

1212 八木澤元 牡丹亭の版本に關する一考察——臧懋循改訂本と茅氏朱墨本との關係に就いて
斯文 第19篇11號 頁61-65 1937年11月

1213 廣瀨玲子 臧懋循による牡丹亭還魂記の改編について
東方學 第81輯 頁71-86 1991年1月

1214 鄧瑞瓊、吳 敏 論臧晉叔對牡丹亭的改編
黃石師院學報 1984年1期 頁84-88
中國古代、近代文學研究（複印報刊資料） 1984年10期 頁78-82

1215 傅雪漪 意、趣、神、色——整理牡丹亭淺識，兼談臧晉叔改本
戲劇學習 1982年第2期

1216 俞爲民 談馮夢龍的牡丹亭改本
江蘇戲劇叢刊 1983年6期 頁184-

1217 趙景深 清暉閣本牡丹亭
戲曲筆談 讀湯顯祖劇隨筆（三） 頁120-122 北京 中華書局 1962年11月

(3) 清代改編本

1218 根ヶ山徹 清代における還魂記の演變

日本中國學會報　第47集　頁164-179　1995年10月
1219　陳仲子　白話牡丹亭
上海　新華書局　1922年3月
清末小說　第12冊　清末小說研究會　1989年12月
1220　魏紹昌　從白話西廂記的質疑到白話牡丹亭的發現
海南師範學院學報　1989年4期　頁99-102
清末小說　第12期　1989年12月

(4) 昆曲

1221　仲　平　看昆曲牡丹亭
戲劇報　1958年4期　頁35　1958年2月28日
1222　路　工　牡丹亭的演出
人民日報　1961年11月23日
1223　陸樹崙、李　平　牡丹亭的改編演出和現實意義
上海戲劇　1982年第5期　頁22-23　1982年10月
戲曲研究（複印報刊資料）　1982年11期　頁110-112
1224　陳　多　略談牡丹亭改編的意趣問題
上海戲劇　1982年第5期　頁24-25　1982年10月
1225　姚傳薌、范繼信　導演牡丹亭點滴談
江蘇戲劇　1982年第9期
1226　趙建新　化平庸爲神奇：談牡丹亭爲改編劇本提供的經驗
寧夏藝術　1987年1期　頁31-
1227　王季思　與石小梅同志論牡丹亭下半部改編書
玉輪軒曲論三編　頁217-219　臺北　中國戲劇出版社　1988年
1228　趙景深　從牡丹亭說到昆劇復興
文匯報　1957年12月19日
1229　俞振飛　崑曲三題
大成　第66期　頁62-65　1979年5月
1.我與柳夢梅
2.無限深情杜麗娘
3.琴挑從「呀」到「啐」
1230　丁修詢　還魂夢影寫精神——關於崑劇還魂記整理改編的思考
戲影月報　1988年7期
1231　趙景深　昆劇牡丹亭開端贊

戲曲論叢　第2輯　頁267-268　蘭州　蘭州大學出版社　1989年11月

1232　楊向時　徐露演出牡丹亭的敬業精神
中國戲劇集刊　第2期　頁29-31　1980年10月

1233　金志仁　昆劇二夢——談驚夢和痴夢
南京大學學報　1982年第1期
戲曲研究（複印報刊資料）　1982年2期　頁113-118

1234　王季思　從牡丹亭的改編演出看崑曲的前途
光明日報　1982年6月30日
玉輪軒曲論新編　頁216-222　北京　中國戲劇出版社　1983年5月

1235　張繼青主演　昆曲牡丹亭
臺北　里仁書局　錄影帶2卷　不著出版年月
第1卷　遊園、驚夢、尋夢
第2卷　寫眞、離魂

1236　吳白匋　紀念傑出的劇作家湯顯祖——談上演牡丹亭的現實意義
江蘇戲劇　1983年1期

1237　汪　澄　詩情通畫境，柔美見剛強——觀張繼青同志飾演杜麗娘散論
江蘇戲劇　1983年6期

1238　譚志湘　本色天然之美——談張繼青驚夢、尋夢的唱腔處理
劇譚　1984年2期

1239　趙清閣　正確對待文學遺產——湯顯祖牡丹亭以及昆劇的整編
社會科學（上海）　1983年2期（總第30期）　頁78-80　1983年2月

1240　永　寬、世　聲　讀古典戲曲名著重放異彩——評牡丹亭的改編本杜麗娘
河南戲劇　1984年2期

1241　賈慶申　讓中國古典戲曲名著活在舞臺上——評牡丹亭的改編本杜麗娘
許昌師專學報（社科版）　1988年1期　頁52-55
戲曲研究（複印報刊資料）　1988年3期　頁43-46　1988年3月

1242　蔣嘯琴　崑曲牡丹亭與古典舞蹈之研究
臺北　臺灣藝術專科學校出版委員會　178頁　1984年3月
（上）藝術學報　第36期　頁143-191　1984年10月
（下）藝術學報　第37期　頁147-181　1985年6月

1243　許曉明　談昆劇牡丹亭的音樂設計
劇影月報　1987年1期　頁40-42

戲曲研究（複印報刊資料） 1987年3期 頁67-69

1244 何 爲 崑曲精品牡丹亭——評盒式錄音帶牡丹亭
人民日報 第8版 1989年3月29日
戲曲研究（複印報刊資料） 1989年4期 頁9

(5) 弋陽腔

1245 石凌鶴 還魂記（贛劇弋陽腔）
南昌 江西人民出版社 1957年10月
凌鶴劇作選 南昌 江西人民出版社 1962年8月

1246 俞平伯 談弋腔還魂記劇本
北京晚報 1959年6月10日

1247 孟 超 談贛劇弋陽腔還魂記
戲劇報 1959年12期
湯顯祖研究資料彙編（下） 頁1104-1110 上海 上海古籍出版社 1986年9月

1248 石凌鶴 繼承遺產，發展更新：改編西廂記、還魂記等劇的幾點體會
光明日報 1962年5月9日

(6) 採茶戲

1249 張 齊改編 牡丹亭（七場採茶戲）
影劇新作 1982年1期
整理改編臨川四夢——湯顯祖歷史故事劇專輯 江西省撫州地區紀念湯顯祖逝世366週年領導小祖辦公室 1982年9月

1250 佚 名 崇仁採茶戲牡丹亭唱詞選
撫河 1982年3期

1251 冰 溪 評薦俗本牡丹亭
江西文藝界 1982年第4期

1252 懷 玉 俗本牡丹亭引起的討論
湯顯祖研究論文集 頁296-311 北京 中國戲劇出版社 1984年5月

(7) 其 他

1253 近 賢 牡丹亭
上海 女作家小叢書社 84頁 1930年1月（女作家小叢書）

（只選其中〈鬧學〉、〈遊園〉、〈驚夢〉、〈尋夢〉四齣，並改編爲新式劇本）

1254 趙清閣 杜麗娘（白話小說）
上海 文化出版社 1957年1月
上海 文化出版社 1981年11月

12. 影響與評價

(1) 影 響

1255 陳皆平 西湖三集與牡丹亭
浙江大學學報（社科版） 1993年1期 頁117-122
中國古代、近代文學研究（複印報刊資料） 1993年7期 頁241-246 1993年7月

1256 徐定寶 黃宗羲與牡丹亭
寧波師院學報（社科版） 1988年1期 頁34-

1257 曾獻平 牡丹亭的風波
劇本 1983年3期 頁45 1983年3月
中國古代、近代文學研究（複印報刊資料） 1983年4期 頁124

1258 墨 鑄 從林黛玉聽牡丹亭談起
戲劇叢刊 1982年第3期

1259 徐朔方 牡丹亭與婦女軼聞
湯顯祖年譜 附錄戊 頁235-239 北京 中華書局 1958年11月

1260 仲 玉 牡丹亭女讀者的戀狂
中國文選 第88期 頁103-115 1974年8月

1261 吳國欽 牡丹亭與婦女軼聞
中國戲曲史漫話 頁192-194 上海 上海文藝出版社 1980年6月
中國戲曲史漫話 頁178-180 臺北 木鐸出版社 1983年8月

1262 徐扶明 牡丹亭與婦女
元明清戲曲探索 頁104-118 杭州 浙江古籍出版社 1986年7月

(2) 評價

1263 陳推之　略談對於牡丹亭的評價問題
光明日報　文學遺產　第508期　1965年5月9日

1264 顧樂眞　戲劇批評史話二則之二：關於牡丹亭的批評與反批評
陜西戲劇　1981年10期　頁61-62　1981年10月

1265 茅元儀原著、李平等注譯　批點牡丹亭記序
藝譚　1980年第3期

1266 劉　輝　從三婦評牡丹亭談起——讀曲隨筆
長江戲劇　1982年4期（總第26期）　頁40-41　1982年8月
小說戲曲論集　頁375-380　臺北　貫雅文化事業公司　1992年3月

1267 王永健　論吳吳山三婦合評本牡丹亭及其批語
南京大學學報（哲社版）　1980年第4期　頁18-26　1980年11月
中國古代、近代文學研究（複印報刊資料）　1980年36期　頁21-29
湯顯祖與明清傳奇研究　頁77-100　臺北　志一出版社　1995年12月

1268 任亮直　牡丹亭及其三婦合評本
河南大學學報（哲社版）　1989年5期　頁66-69
中國古代、近代文學研究（複印報刊資料）　1990年2期　頁237-240

1269 華　瑋　性別與戲曲批評——試論明清婦女之劇評特色
中國文哲研究集刊　第9期　頁193-232　1996年9月

1270 王永健　吳吳山還魂記或問十七條評注
撫州師專學報（綜合版）　1983年2期　頁47-53
湯顯祖與明清傳奇研究　頁101-118　臺北　志一出版社　1995年12月

1271 趙山林　楊葆光及其牡丹亭手批本
江西大學學報（社科版）　1983年3期　頁75-

1272 洛　地　借言題曲論還魂
戲劇藝術　1982年4期　頁125-129　1982年11月
江西戲曲論壇　1982年3期

1273 蕭華榮　從關雎接受史看牡丹亭的時代意義
齊魯學刊　1991年2期　頁3-8

1274 吳根友 論牡丹亭的時代精神與歷史定位
江西社會科學 1991年3期 頁83-86
中國古代、近代文學研究（複印報刊資料） 1991年9期 頁232-235 1991年9月

13. 外文譯本研究

1275 彭鏡禧 評三種傳奇劇的英譯本（陳世驤等譯桃花扇、Cyril Birch譯牡丹亭、Jean Mulligan譯琵琶記）
國立編譯館館刊 第23卷2期 頁189-202 1994年12月

14. 文獻目錄

1276 東京文理科大學文學部漢文第二研究室 還魂記校勘記、語彙引得
東京 該研究室 1951年
1277 徐扶明 牡丹亭研究資料考釋
上海 上海古籍出版社 384頁 1987年6月

六、南柯記

1. 概　述

1278　佚　名　　南柯記提要
曲海總目提要　卷6　上海　大東書局　1928年
曲海總目提要　卷6　北京　人民文學出版社　1959年
曲海總目提要　卷6　臺北　新興書局　1967年
曲海總目提要　卷6　北京　天津古籍書店　1992年6月

1279　青木正兒　邯鄲記及び南柯記
支那近世戲曲史　第9章　東京　弘文堂　1930年
青木正兒全集　第3卷　支那近世戲曲史　第9章　頁214-219　東京　春秋社　1972年9月

1280　青木正兒著、鄭　震譯　邯鄲記及南柯記
中國近代戲曲史　第9章　上海　北新書局　1933年3月

1281　青木正兒著、王古魯譯　邯鄲記及南柯記
中國近世戲曲史　第9章　頁232-236　上海　商務印書館　1936年2月；上海　中華書局　1954年增訂版；上海　上海文藝出版社　1956年；北京　作家出版社　1958年；香港　中華書局　1975年；臺北　臺灣商務印書館　1965年臺1版

1282　趙景深　　湯顯祖其他劇作（南柯記和邯鄲記）
戲曲筆談　明代的戲曲和散曲（七）　頁70-73　北京　中華書局　1962年11月

1283　呂　凱　　湯顯祖南柯記考述
臺北　政治大學中國文學研究所碩士論文　1969年
臺北　嘉新水泥公司文化基金會　1974年2月

1284　吳文丁　　試論南柯夢記的內核及其外殼
湯顯祖研究論文選　頁　-　江西省撫州地區紀念湯顯祖逝世366週年領導小組辦公室　1982年9月

1285　沈鴻鑫　　南柯夢傳奇
中國古典名劇鑑賞辭典　頁383-387　上海　上海古籍出版社　1990年12月

1286　吳　梅　　南柯記跋
國學叢刊　第1卷3期　1923年9月

2. 本事探源

1287 趙衛民 從南柯太守傳到南柯記
文藝月刊 第147期 頁25-31 1981年9月
1288 盧惠淑 枕中記、南柯太守傳與邯鄲記、南柯記之比較研究
臺灣師範大學國文研究所博士論文 1988年6月 葉慶炳指導

3. 思想研究

1289 侯外廬 論湯顯祖紫釵記和南柯記的思想性
新建設 1961年7期
論湯顯祖劇作四種 頁20-39 北京 中國戲劇出版社 1962年6月
湯顯祖研究資料彙編（下） 頁814-833 上海 上海古籍出版社 1986年9月
1290 吳鳳雛 南柯記的思想內容及傾向
江西戲曲論壇 1982年3期
1291 尹 明 南柯記的思想傾向
湯顯祖研究論文選 頁 - 江西省撫州地區紀念湯顯祖逝世366週年領導小組辦公室 1982年9月
1292 劉 雲 南柯記、邯鄲記思想傾向辨
江西社會科學 1983年6期 頁104-
1293 吳鳳雛 南柯夢的思想傾向
湯顯祖研究論文集 頁312-327 北京 中國戲劇出版社 1984年5月
1294 楊 忠、張賢蓉 厭逢人世懶生天——湯顯祖晚年思想及二夢創作芻議
湯顯祖研究論文集 頁415-434 北京 中國戲劇出版社 1984年5月
1295 郭紀金 從夢幻意識看湯顯祖的二夢
中華文史論叢 1983年2期 頁173-199 1983年6月
湯顯祖研究論文集 頁383-414 北京 中國戲劇出版社 1984年5月
1296 郭英德 等爲夢境，何處生天：南柯夢、邯鄲夢荒誕意識談
文史知識 1990年12期 頁9-15
1297 程建忠、賈 鵬 南柯夢曲藝管窺
許昌師專學報（社科版） 1992年1期 頁70-75

4. 寫作藝術

1298 吳鳳雛 南柯記的譏刺鋒芒
江西戲劇 1982年4期 頁20-

1299 錢英郁 談南柯夢記的諷世和寓意
光明日報 第3版 1983年3月8日

1300 劉靖安 南柯記、邯鄲記對明代官場的批判
衡陽師專學報（社科版） 1991年5期 頁70-74

5. 各齣析論

1301 徐朔方 關於南柯記第二十四齣風謠及其他
光明日報 文學遺產 第402期 1962年2月18日
論湯顯祖及其他 頁28-33 上海 上海古籍出版社 1983年8月

1302 懷 玉 烏托邦，還是封建保守主義?：關於南柯記風謠的性質
爭鳴 1984年3期 頁93-

1303 劉 雲 略論湯顯祖筆下的理想國
湯顯祖研究論文集 頁435-443 北京 中國戲劇出版社 1984年5月

6. 人物研究

1304 吳鳳雛 淺談淳于棼的情及其他
撫河 1982年第1期

7. 名物研究

1305 岩城秀夫 湯顯祖の南柯記桃華の意圖（上）
未名 第3期 1983年

1306 岩城秀夫 湯顯祖の南柯記執筆の意圖——書簡〈答羅匡福〉よりみて
未名 第4期 1983年

8. 札 記

1307 錢英郁 談紫釵記與南柯夢記的札記
藝譚 1983年1期 頁70-

9. 改編劇本

1308　凌鶴改譯　南柯記（贛劇弋陽腔）
江西戲劇　1982年第1期

1309　龍雪翔整理改編　南柯夢（八場撫州採茶戲）
整理改編臨川四夢——湯顯祖歷史故事劇專輯　江西省撫州地區紀念湯顯祖逝世366週年領導小祖辦公室　1982年9月

10. 評　價

1310　何蘇仲　應重新評價南柯夢與邯鄲夢
湯顯祖研究論文集　頁373-382　北京　中國戲劇出版社　1984年5月

七、邯鄲記

1. 概　述

1311　佚　名　邯鄲記提要
曲海總目提要　卷6　上海　大東書局　1928年
曲海總目提要　卷6　北京　人民文學出版社　1959年
曲海總目提要　卷6　臺北　新興書局　1967年
曲海總目提要　卷6　北京　天津古籍書店　1992年6月

1312　青木正兒　邯鄲記及び南柯記
支那近世戲曲史　第9章　東京　弘文堂　1930年
青木正兒全集　第3卷　支那近世戲曲史　第9章　頁214-219　東京　春秋社　1972年9月

1313　青木正兒著、鄭　震譯　邯鄲記及南柯記
中國近代戲曲史　第9章　上海　北新書局　1933年3月

1314　青木正兒著、王古魯譯　邯鄲記及南柯記
中國近世戲曲史　第9章　頁232-236　上海　商務印書館　1936年2月；上海　中華書局　1954年9月增訂版；上海　上海文藝出版社　1956年；北京　作家出版社　1958年；香港　中華書局　1975年；臺北　臺灣商務印書館　1965年臺1版

1315　譚　行　略談湯顯祖和他的邯鄲記
中山大學學報（哲社版）　1958年2期　頁48-55　1958年10月
湯顯祖研究資料彙編（下）　頁1271-1283　上海　上海古籍出版社　1986年9月

1316　趙景深　湯顯祖其他劇作（南柯記和邯鄲記）
戲曲筆談　明代的戲曲和散曲（七）　頁70-73　北京　中華書局　1962年11月

1317　李景雲　湯顯祖邯鄲記研究
中國文化學院中國文學研究所碩士論文　1977年6月　216頁　李殿魁指導

1318　李景雲　湯顯祖邯鄲記研究（碩士論文提要）
明史研究專刊　第1期　頁162-163　1978年7月

1319　王纘叔　試談湯顯祖和他的邯鄲記
寶雞師院學報　1979年2、3期合刊

1320 逸 叟 湯顯祖邯鄲夢
中央日報 1980年12月9日
1321 郁 華、萍 生 邯鄲夢新探
戲曲藝術 1983年增刊 頁64
湯顯祖研究論文集 頁328-345 北京 中國戲劇出版社 1984年5月
1322 曾獻平 論邯鄲夢
湯顯祖研究論文集 頁346-372 北京 中國戲劇出版社 1984年5月
1323 舒 湮 邯鄲一夢未荒唐
戲劇報 1987年1期（總第356期） 頁24-25 1987年1月
戲曲研究（複印報刊資料） 1987年3期 頁43-44
1324 劉方政 論湯顯祖的邯鄲記
臨沂師專學報（社科版） 1988年4期 頁104-107
戲曲研究（複印報刊資料） 1989年5期 頁51-54
1325 姜姈妹 湯顯祖邯鄲夢記研究
臺灣師範大學國文研究所碩士論文 1989年6月 王熙元指導
1326 沈鴻鑫 邯鄲記傳奇
中國古典名劇鑑賞辭典 頁379-383 上海 上海古籍出版社 1990年12月
1327 Yung, Sai-shing. "A Critical Study of 'Han-tan chi'."
Doctoral dissertation, Princetion University, 1992. 154p.

2. 作成時代

1328 趙景深 邯鄲記的寫作年代
戲曲筆談 讀湯顯祖劇隨筆（五） 頁124 北京 中華書局 1962年11月

3. 本事探源

1329 盧惠淑 枕中記、南柯太守傳與邯鄲記、南柯記之比較研究
臺灣師範大學國文研究所博士論文 1988年6月 葉慶炳指導

4. 思想研究

1330　侯外廬　湯顯祖邯鄲記的思想與風格
人民日報　1961年8月16日
人民日報文藝評論選集　頁172-191　北京人民日報出版社　1962年12月
論湯顯祖劇作四種　頁40-59　北京　中國戲劇出版社　1962年6月
湯顯祖研究資料彙編（下）　頁1284-1304　上海　上海古籍出版社　1986年9月

1331　陳鳳翔　試論湯顯祖劇作邯鄲記的主題及思想
華僑日報　1972年4月21日

1332　呂　凱　湯顯祖邯鄲記的道化思想和明代中葉以後之社會
漢學研究　第6卷1期　頁407-423　1988年6月

1333　郭紀金　從夢幻意識看湯顯祖的二夢
中華文史論叢　1983年2期　頁173-199　1983年6月
湯顯祖研究論文集　頁383-414　北京　中國戲劇出版社　1984年5月

1334　劉　雲　南柯記、邯鄲記思想傾向辨
江西社會科學　1983年6期　頁104-

1335　楊忠、張賢蓉　厭逢人世懶生天
——湯顯祖晚年思想及二夢創作芻議
湯顯祖研究論文集　頁415-434　北京　中國戲劇出版社　1984年5月

1336　郭英德　等爲夢境，何處生天：南柯夢、邯鄲夢荒誕意識談
文史知識　1990年12期　頁9-15　1990年12月

1337　程建忠　邯鄲夢思想內容新議
都江教育學院學報（綜合版）　1991年1期　頁12-15

5. 寫作藝術

1338　陳芳英　邯鄲記的喜劇情調
中外文學　第13卷1期　頁48-69　1984年6月
中國文學研究　1986年4期　頁91-106　北京　書目文獻出版社

1339　汪志勇　邯鄲記的喜劇意識讀後
中外文學　第13卷2期　頁157-159　1984年7月
中國文學研究　1986年4期　頁107-108　北京　書目文獻出

版社
談俗說戲　頁231-234　臺北　文史哲出版社　1991年1月

1340　唐雲坤　托意夢幻，震聾發聵：談牡丹亭、邯鄲記的夢幻藝術
影劇新作　1989年1期　頁94-95

1341　Chen,Catherine Wang."The Art of Satire in the *Han-Tan Meng Chi*."
Doctoral dissertation, University of Minnesota, 1975. 156p.

1342　劉靖安　南柯記、邯鄲記對明代官場的批判
衡陽師專學報（社科版）　1991年5期　頁70-74

6. 人物研究

1343　孫小英　論邯鄲記中的丑角
中外文學　第10卷9期　頁132-147　1982年2月

7. 比較研究

1344　徐扶明　邯鄲夢與紅樓夢
紅樓夢學刊　1981年4期　頁195-212　1981年11月
紅樓夢與戲曲比較研究　頁185-199　上海　上海古籍出版社　1984年12月

1345　張　弘　《特瑞伊羅斯與克瑞西達》和邯鄲夢之比較
學術月刊　1990年11期（總第258期）　頁52-58　1990年11月

8. 改編劇本

1346　聿　人、實　紅改編　邯鄲夢（八場贛劇高腔）
影劇新作　1981年4期

1347　夏雪慶改編　邯鄲夢（大型京劇）
整理改編臨川四夢——湯顯祖歷史故事劇專輯　江西省撫州地區紀念湯顯祖逝世366週年領導小祖辦公室　1982年

1348　萬　馬　夢斷邯鄲（取材於湯顯祖原著邯鄲記若干齣）
江西戲劇　1982年4期

1349　黃文錫　邯鄲夢記改編的題內題外之爭
劇本　1987年4期

9. 評　價

1350　何蘇仲　　應重新評價南柯夢與邯鄲夢
湯顯祖研究論文集　頁373-382　北京　中國戲劇出版社
1984年5月

八、詩文與小說研究

1. 概　述

1351　徐朔方　　關於湯氏家藏玉茗堂集板片
論湯顯祖及其他　頁70-72　上海　上海古籍出版社　1983年8月

1352　徐朔方　　湯顯祖詩賦文集考略
湯顯祖年譜　附錄乙　207-216　北京　中華書局　1958年11月
晚明曲家年譜　第三卷　湯顯祖年譜　附錄甲　頁470-480　杭州　浙江古籍出版社　1993年12月

1353　徐朔方　　湯顯祖詩文集雜考
中華文史論叢　1983年3期（總第27輯）

1354　徐朔方　　湯顯祖詩文集外編前言
文學遺產　1984年1期　頁115-119　1984年3月

1355　馬泰來　　湯顯祖詩文集徐箋補正
文學遺產　1984年4期　頁112-114　1984年12月

2. 詩

1356　趙景深　　湯顯祖的問棘郵草
戲曲筆談　讀湯顯祖劇隨筆（六）　124-128　北京　中華書局　1962年11月

1357　郁　華　　湯顯祖流寓廣東的抒情詩
羊城晚報　1959年5月15日

1358　彭德緯、錢貴成　簡述湯顯祖詩歌藝術
江西社會科學　1983年4期　頁120-123
中國古代、近代文學研究（複印報刊資料）　1983年9期　頁183-186

1359　吳鳳雛　　試論湯顯祖詩
文學評論叢刊　第22輯　1984年11月
湯顯祖研究論文選　頁　－　江西省撫州地區紀念湯顯祖逝世366週年領導小組辦公室　1982年9月

1360　顧小虎　　從湯顯祖的一首刪題詩談起

青春　1980年1期
1361　鄒自振　湯顯祖抒情詩五首評注
玉茗花　1982年3期
1362　易　丁、聞　令　試譯湯顯祖詩（十首）
撫河　1982年3期
1363　龔重謨　郁達夫與湯顯祖的一首佚詩
江西日報　第4版　1982年10月31日
1364　鄒自振　湯顯祖詩歌選評
明清詩文論叢　第2輯　頁134-　1982年12月
1365　詠梅客　湯顯祖詩贊秦聲
西安晚報　1984年7月25日
1366　王離之　湯顯祖的南行詩草
嶺南文史　1983年1期　頁131-132　1983年5月
1367　白雲奇　露冷流螢——讀湯顯祖的江宿
名作欣賞　1981年5期　頁50
詩詞曲賦名作賞析　頁360-361　太原　山西人民出版社　1985年8月
1368　周濟夫　湯顯祖的黎女歌
海南日報　1984年10月28日
1369　黃家蕃　湯顯祖〈至潿州〉詩釋義
廣西地方志通訊　1985年3期　頁38-
1370　雷樹田　滿目悲傷事，行前兩首詩——試析湯顯祖〈送趙大歸齊〉及〈別平昌吏民〉二絕句
大學文科園地　1988年1期　頁36-37
1371　李少一　湯顯祖的訣世語值得一讀
北京日報　1980年11月9日

3. 文

1372　陳東有　湯顯祖〈廟記〉中的演劇理論初探
江西大學學報　1984年3期　頁85-90
1373　徐朔方　讀湯顯祖〈宜黃縣戲神清源師廟記〉
戲曲研究　第18輯　頁211-219　北京　文化藝術出版社　1986年1月
1374　周育德　宜黃戲神辨蹤
湯顯祖論稿　頁281-292　北京　文化藝術出版社　1991年6月

1375 姚澄清、張天岳 新發現的湯顯祖三篇佚文
爭鳴 1986年3期 頁115-

1376 紀 勤、單松林、程 章 遂昌發現湯顯祖三篇佚文
戲曲研究 第24輯 頁221-226 北京 文化藝術出版社 1987年12月

1377 龔重謨 湯顯祖佚文輯註
戲曲研究 第22輯 頁282-289 北京 文化藝術出版社 1987年6月

1378 朱達藝 湯顯祖佚文摭拾
戲文 1989年2期 頁48-49
中國古代、近代文學研究（複印報刊資料） 1989年7期 頁208-209 1989年7月

1379 陳大康 湯顯祖、虞淳熙序西湖一集考
華東師範大學學報（哲社版） 1989年5期 頁92-95轉頁20
中國古代、近代文學研究（複印報刊資料） 1990年2期 頁241-245 1990年2月

1380 張嘯虎 湯顯祖尺牘的思想內涵與審美價值
江西社會科學 1984年5期 頁132-137轉頁67

1381 孫愛玲 從湯顯祖的尺牘看其文學家個性精神
寧夏社會科學 1994年1期 頁83-86

4. 小 說

1382 芮效衛 湯顯祖創作金瓶梅考
金瓶梅西方論文集 頁89-136 上海 上海古籍出版社 1987年

1383 徐朔方 〈湯顯祖著作金瓶梅考〉的簡介和質疑
溫州師專學報（社科版） 1986年1期 頁24-

1384 芮效衛著、徐珊蕾譯 對批評〈湯顯祖創作金瓶梅考〉的答覆
溫州師專學報（社科版） 1986年1期 頁33-

九、湯沈之爭

1385 陸　林　近年「湯沈之爭」研究綜述
文史知識　1989年7期　頁123-127　1989年7月
古典文學研究動態　頁187-194　北京　中華書局　1993年3月

1386 盧　前　沈璟與湯顯祖
明清戲曲史　第4章　南京　鍾山書局　1933年12月
明清戲曲史　第4章　上海　商務印書館　1935年6月（國學小叢書）
明清戲曲史　第4章　臺北　臺灣商務印書館　1971年10月（人人文庫1720）

1387 周貽白　沈璟與湯顯祖
中國戲劇史略　上海　商務印書館　1936年9月（戲劇小叢書）

1388 吳新雷　論戲曲史上臨川派與吳江派之爭
江海學刊　1962年12期

1389 岩城秀夫　劇作家沈璟—湯顯祖との論爭を中心に
日本中國學會報　第21集　頁196-209　1969年12月

1390 史　延　明代戲曲史上的一場儒法鬥爭
文藝研究　1976年1期

1391 孫小英　沈璟與湯顯祖之比較研究
臺北　政治大學中國文學研究所碩士論文　309頁　1976年　盧元駿指導
臺北　嘉新水泥公司文化基金會　197頁　1978年

1392 孫小英　沈璟與湯顯祖之曲論比較
中華文化復興月刊　第10卷1期　1977年1月
中國古典文學論文精選叢刊　戲劇類（2）　頁21-48　臺北　幼獅文化事業公司　1980年

1393 邵增祺　論吳江派和湯沈之爭
中華文史論叢　1979年2輯　頁353-371　1979年4月

1394 周貽白　湯顯祖與沈璟
中國戲曲發展史綱要　上海　上海古籍出版社　1979年10月

1395 吳國欽　戲曲史上臨川派和吳江派的論爭

中國戲曲史漫話　頁198-200　上海　上海文藝出版社　1980年6月
中國戲曲史漫話　頁184-187　臺北　木鐸出版社　1983年8月

1396　趙景深　臨川派與吳江派戲曲理論的鬥爭
曲論初探　上海　上海文藝出版社　1980年7月

1397　黃天驥　戲曲史上的湯沈之爭
（上）學術研究　1980年5期　頁82-86　1980年9月
（下）學術研究　1980年6期　頁99-103　1980年11月

1398　周育德　也談戲曲史上的湯沈之爭
學術研究　1981年3期　頁89-96　1981年5月
湯顯祖論稿　頁264-280　北京　文化藝術出版社　1991年6月

1399　徐朔方　湯顯祖和沈璟
文學評論叢刊　第9輯　頁343-358　1981年5月
論湯顯祖及其他　頁106-120　上海　上海古籍出版社　1983年8月

1400　徐朔方　關於湯顯祖、沈璟關係的一些事實
戲文　1981年4期　頁70-
論湯顯祖及其他　頁121-124　上海　上海古籍出版社　1983年8月

1401　姚公騫　江西人和南北曲（第四節湯顯祖與吳江派的抗衡）
爭鳴　1982年第1期

1402　夏寫時　論湯沈之爭及王驥德的評價問題
學術月刊　1982年3期（總第154期）　頁55-61　1982年3月

1403　張家英　湯沈之爭散論
克山師專學報　1982年3期　頁32-34
中國古代、近代文學研究（複印報刊資料）　1983年3期　頁227-229

1404　俞爲民　戲曲史上的湯沈之爭
藝譚　1982年3期　頁78-

1405　王永健　湯詞沈律，合之雙美——略談戲曲史上的湯沈之爭
湯顯祖研究論文選　頁　-　江西省撫州地區紀念湯顯祖逝世366週年領導小組辦公室　1982年9月
湯顯祖與明清傳奇研究　頁65-76　臺北　志一出版社　1995年12月

1406 張秀蓮 湯沈之爭外論
戲劇藝術 1983年2期 頁36-
湯顯祖研究論文集 頁480-499 北京 中國戲劇出版社 1984年5月

1407 洛 地 明代曲壇上的湯沈之爭
藝譚 1983年3期 頁38-

1408 俞爲民 重評湯沈之爭
學術月刊 1983年12期 頁48-52 1983年12月
明清傳奇考論 頁179-201 臺北 華正書局 1993年7月

1409 楊毓龍 臨川派和吳江派的論爭
湯顯祖研究論文集 頁500-518 北京 中國戲劇出版社 1984年5月

1410 衛韶生 沈湯之爭
戲曲藝術 1983年增刊 頁92

1411 王永健 玉茗堂派初探
湯顯祖研究論文集 頁519-536 北京 中國戲劇出版社 1984年5月
湯顯祖與明清傳奇研究 頁43-63 臺北 志一出版社 1995年12月

1412 金寧芬 我國戲曲史上的吳江派與臨川派
文史知識 1986年8期 頁101-103 1986年8月
戲曲研究（複印報刊資料） 1986年9期 頁25-27

1413 朱建明 湯沈論爭之我見
上海藝術家 1987年4期 頁77
戲曲研究（複印報刊資料） 1987年12期 頁52

1414 王秋貴 從湯沈之爭看王驥德的藝術觀
安徽師大學報（哲社版） 1987年2期 頁69-

1415 張增元 關於湯沈之爭的新探索
文學評論叢刊 第30輯 頁340-344 北京 中國社會科學出版社 1988年4月

1416 王永健 「湯沈之爭」的起因、實質和影響
明清傳奇 第6章第1節 頁133-142 南京 江蘇教育出版社 1989年11月

1417 黃仕忠 明代戲曲的發展與湯沈之爭
文學遺產 1989年6期 頁26-33 1989年12月
戲曲研究（複印報刊資料） 1990年4期 頁23-30

1418 謝柏良 沈湯之爭的歷史淵源及其流變
廣東社會科學 1990年1期 頁132-137轉頁148
中國古代、近代文學研究（複印報刊資料）1990年8期 貞314-320 1990年8月
1419 陸 瑛 也談戲曲史上的湯沈之爭
丹東師專學報（哲社版） 1992年4期 頁64-66轉頁63
1420 杜 衛 湯沈之爭的美學意義
晉陽學刊 1990年5期（總第62期） 頁63-68 1990年7月
1421 謝柏梁 湯沈之爭的歷史淵源及其流變發展
中國分類戲曲學史綱 臺北 臺灣商務印書館 1994年6月

十、學術活動

1422 趙景深 湯顯祖三百三十年紀念
大路半月刊 第1卷2期 頁23-27 1947年5月

1423 石凌鶴 試論湯顯祖及其劇作：紀念湯顯祖逝世340週年
江西日報 1957年11月12日

1424 戴不凡 紀念湯顯祖
戲劇報 1957年22期 頁34-35 1957年11月26日
戴不凡戲曲研究論文集 頁145-150 杭州 浙江人民出版社 1982年2月

1425 俞振飛 紀念湯顯祖，學習湯顯祖
文匯報 1957年12月8日

1426 佚 名 紀念湯顯祖逝世340周年
文藝報 1957年38期 第7版 1957年12月29日

1427 龔傳文 湯顯祖是我們的驕傲
藝術世界 1980年4期 頁40-41 1980年8月

1428 匡定邦 撫州地、市積極籌備紀念湯顯祖逝世365周年活動
影劇新作 1982年2期

1429 江西撫州地區劇目工作室 紀念明代大戲曲家湯顯祖
撫河 1982年3期

1430 江西戲劇通訊員 紀念湯顯祖逝世365周年
江西戲劇 1982年3期

1431 蔣星煜 尋其吐屬，如獲美劍——紀念湯顯祖逝世365周年
上海戲劇 1982年4期 頁7-

1432 安 我省舉行湯顯祖逝世366周年紀念活動
影劇新作 1982年3期

1433 文 戀 撫河出版紀念湯顯祖專輯
贛東報 第4版 1982年7月28日
江西文藝界 1982年4期

1434 江西戲劇記者 紀念湯顯祖，發展新戲劇——紀念湯顯祖逝世366周年活動述評
江西戲劇 1982年4期

1435 匡定邦 撫州積極籌備紀念湯顯祖逝世366周年
江西文藝界 1982年5期

1436　趙相如　　湯顯祖逝世366周年紀念活動
　　　　　　　人民日報　第5版　1982年10月10日
1437　佚　名　　紀念湯顯祖逝世366周年大會在撫州隆重舉行
　　　　　　　江西日報　第1版　1982年10月23日
1438　佚　名　　紀念湯顯祖逝世366周年演出劇目
　　　　　　　江西日報　第2版　1982年10月23日
1439　史　直　　紀念偉大的戲劇家湯顯祖
　　　　　　　贛東報　第4版　1982年10月23日
1440　佚　名　　紀念湯顯祖逝世366周年
　　　　　　　南昌晚報　第1版　1982年10月23日
1441　王紹雄　　文化部、劇協、江西省文化局等在撫州舉行集會紀念明代戲劇家湯顯祖逝世366周年
　　　　　　　光明日報　第2版　1982年10月24日
1442　佚　名　　紀念湯顯祖逝世366周年大會在撫州隆重舉行
　　　　　　　贛東報　第1版　1982年10月27日
1443　湯顯祖紀念館　直把歌場當戰場——紀念湯顯祖逝世366周年
　　　　　　　江西日報　第4版　1982年10月28日
　　　　　　　中國古代、近代文學研究（複印報刊資料）　1982年24期　頁84　1982年12月
1444　佚　名　　紀念湯顯祖逝世366周年活動圓滿結束
　　　　　　　江西日報　第1版　1982年10月30日
1445　佚　名　　紀念湯顯祖逝世366周年活動昨日結束
　　　　　　　南昌晚報　第1版　1982年10月30日
1446　佚　名　　春催玉茗——紀念湯顯祖逝世366周年
　　　　　　　南昌晚報　第3版　1982年10月30日
1447　趙相如　　湯顯祖劇作學術討論會在南昌舉行
　　　　　　　人民日報　第5版　1982年11月10日
1448　石凌鶴　　尙留遺愛在人間——紀念湯顯祖逝世366周年
　　　　　　　爭鳴　1982年4期　頁62-65
　　　　　　　江西戲曲論壇　1982年3期
　　　　　　　中國古代、近代文學研究（複印報刊資料）　1982年24期　頁85-88　1982年12月
1449　陳　觀　　一派良辰美景，無限賞心樂事——紀念湯顯祖逝世366周年活動簡述
　　　　　　　影劇新作　1982年4期
1450　張　鵬　　玉茗流清遠，環宇盡飄香：紀念湯顯祖逝世366周年活動片斷

福建戲劇　1983年1期　頁16-
1451　易　凱　首都文藝界知名人士舉行集會紀念湯顯祖逝世370周年
人民日報　第1版　1986年11月21日
戲曲研究（複印報刊資料）　1986年12期　頁39　1986年12月
1452　徐朔方　湯顯祖和他的時代：紀念湯顯祖逝世370周年活動感言
人民日報　第7版　1986年11月24日
1453　酈亦農　張庚談湯顯祖
人民日報（海外版）第7版　1986年11月22日
戲曲研究（複印報刊資料）　1986年12期　頁42　1986年12月
1454　郭漢城　心靈的巨匠，無畏的鬥士——紀念我國偉大的戲曲家湯顯祖逝世370周年
光明日報　第3版　1986年12月2日
戲曲研究（複印報刊資料）　1986年12期　頁43-45　1986年12月
文藝界通訊　1987年1期　頁20-
1455　何　爲　讓更多的人了解湯顯祖
光明日報　第3版　1986年12月11日
戲曲研究（複印報刊資料）　1986年12期　頁40-41　1986年12月
1456　佚　名　湯顯祖學術討論會論文篇目
文藝資料　1982年5期
1457　江西省文學藝術研究所情報資料室　湯顯祖學術討論會論文要點綜述
文藝資料　1982年5期
1458　鴻　書　爭鳴・突破・起點——記湯顯祖學術討論會
江西戲劇　1982年4期　頁9-
1459　海　風　我院舉行湯顯祖研究學術活動
戲劇藝術　1982年4期（總第20期）　頁164　1982年11月
1460　黃文錫　追求新的突破——湯顯祖學術討論紀略
戲曲研究　第10輯　頁209-223　北京　文化藝術出版社　1983年9月
1461　張新建　湯顯祖學術討論會綜述
人民日報　第5版　1987年1月20日
中國古代、近代文學研究（複印報刊資料）　1987年2期　頁156　1987年2月

1462　王　河、耕　生　近幾年來湯顯祖研究概況
江西社會科學研究資料　1982年11期
1463　黃　強　近幾年的湯顯祖研究
資料與研究　1983年1期

十一、對國外的影響

1464　龔傳文　湯顯祖在國外
　　　　　　　爭鳴　1982年1期
1465　羅傳奇　世界樂苑的明燈——談談湯顯祖在國外的影響
　　　　　　　江西戲劇　1982年3期
　　　　　　　湯顯祖研究論文選　頁　-　江西省撫州地區紀念湯顯祖逝世366週年領導小組辦公室　1982年9月

十二、論文集

1466　侯外廬　論湯顯祖劇作四種
北京　中國戲劇出版社　59頁　1962年6月
1.前記　頁1-2
2.湯顯祖牡丹亭還魂記外傳　頁1-19
3.論湯顯祖紫釵記和南柯記的思想性　頁20-39
4.論湯顯祖邯鄲記的思想與風格　頁40-59

1467　王恩宇等　堅決鏟除侯外廬論湯顯祖劇作的三株毒草
紅旗　1966年10期

1468　江西省撫州地區紀念湯顯祖逝世366週年領導小組編　湯顯祖研究論文選
南昌　1982年9月
1.序言（傅柏林）
2.試論湯顯祖的哲學思想（楊佐經）
3.湯顯祖重農思想淺探（匡定邦）
4.湯顯祖忠君思想淺析（胡一輝）
5.試論湯顯祖的詩（吳鳳雛）
6.淺談臨川四夢的非佛道思想——兼與上海古籍出版社湯顯祖戲曲集出版說明商榷（萬斌生）
7.也談紫簫記的創作年代（周悅文）
8.從霍小玉傳到紫釵記的得失（萬斌生）
9.略論牡丹亭的精華所在及其改編（張　齊）
10.從崔鶯鶯到杜麗娘（鄒自振）
11.試析牡丹亭春香鬧學（甘雲芝）
12.論牡丹亭驚夢（黃漢龍）
13.牡丹亭驚夢美學特徵瑣談（董大葵）
14.試論南柯夢記的內核及其外殼（吳文丁）
15.南柯記的思想傾向（尹　明）
16.簡論湯顯祖在戲劇理論與實踐上的貢獻（方家駟）
17.湯詞沈律「合之雙美——略談戲曲史上的湯沈之爭」（王永健）
18.世界樂苑的明燈——談談湯顯祖在國外的影響（羅傳奇）
19.也從改編演出湯顯祖劇作引起的討論談開去——兼評黃文錫的紫釵記改編本（齊芻言）

20.湯顯祖資料小引（龔重謨）
21.對紫釵記思想內涵及古典名劇改編路子的意見舉隅（江夏）
22.湯顯祖研究論文索引（吳鳳雛、鄒自振）

1469　江西省文學藝術研究所編　湯顯祖紀念集
南昌　該所　1983年3月
前言（李定坤）　頁1-7
〔活動情況〕
1.對關於舉辦湯顯祖逝世366週年紀念活動報告的批復（中共江西省委辦公廳）　頁1
2.關於舉辦偉大戲劇家湯顯祖逝世366週年紀念活動的報告（中共江西省委辦公廳）　頁2-4
3.紀念湯顯祖逝世366週年活動籌備委員會第一次會議紀要　頁5-8
4.撫州地區抓緊籌備紀念湯顯祖各項活動　頁9-10
5.玉茗堂影劇院和湯顯祖墓正加緊修建　頁11
6.湯顯祖生平事蹟展覽正積極籌備　頁12
7.籌委會戲劇組到贛州、撫州兩地區了解戲劇排演情況　頁13
8.德興贛劇團加緊排練南柯記　頁14
9.省贛劇團紫釵記、邯鄲記已進入響排階段　頁15
10.學術論文組積極展開活動，已組織北京、上海等地有關湯顯祖研究論文三十二篇　頁16-17
11.撫州地區將於九月下旬舉行紀念湯顯祖戲劇匯報演出　頁18
12.上饒地委德興縣委重視八方支援集中力量加緊排練贛劇南柯記　頁19-20
13.紀念湯顯祖逝世366週年籌備委員會第二次會議紀要　頁21-24
14.團結合作，提高質量　頁24-25
15.籌委會負責同志到撫州檢查籌備情況　頁25-26
16.紀念湯顯祖逝世366週年籌備工作就緒，各項紀念活動即將開始　頁27-29
17.大會領導小組舉行第一次會議，一致認爲應把湯顯祖作爲世界文化名人來宣傳　頁29-31
18.紀念湯顯祖逝世366週年活動在撫州隆重揭開序幕　頁32-

2.紀念活動大會辦公室各組負責人名單　頁376-377
3.參加紀念活動全體代表和工作人員名單　頁378-387
4.新聞單位參加紀念活動人員名單　頁388-389
5.玉茗舊址立新樓（林　抒）　頁390-393
6.湯顯祖紀念館簡介（徐宜良）　頁394-410
7.湯顯祖之墓（林　抒）　頁411-414
8.後　記

1470　徐朔方　　論湯顯祖及其他
上海　上海古籍出版社　369頁　1983年8月（湯顯祖部份）
1.自序　頁1-4
2.湯顯祖和他的創作　頁1-13
3.湯顯祖的思想發展和他的四夢　頁14-27
4.關於南柯記第二十四齣風謠及其他　頁28-33
5.論牡丹亭　頁34-54
6.牡丹亭的因襲和創新　頁55-62
7.再論湯顯祖戲序曲的腔調問題　頁63-69
8.關於湯氏家藏玉茗堂集版片　頁70-72
9.湯顯祖和莎士比亞　頁73-90
10.湯顯祖和利瑪竇　頁91-105
11.湯顯祖和沈璟　頁106-120
12.關於湯顯祖沈璟關係的一些事實　頁121-124
13.湯顯祖和金瓶梅　頁125-132

1471　江西省文學藝術研究所編　湯顯祖研究論文集
北京　中國戲劇出版社　1984年5月
1.郭漢城　序　頁1-4
2.徐朔方　湯顯祖和晚明思潮　頁5-24
3.錢英郁　湯顯祖的創作道路　頁25-40
4.黃文錫　論湯顯祖創作思想的發展　頁41-84
5.周育德　臨川四夢和明代社會　頁85-130
6.蔣星煜　湯顯祖對張居正之認識及其在劇作中的曲折反映　頁131-151
7.樓宇烈　湯顯祖哲學思想初探　頁152-173
8.陳仰民　臨川四夢中眞善美的統一　頁174-181
9.郭漢城、章詒和　讓中國戲劇古典名著活在舞台上——關於湯顯祖四夢改編的意見　頁182-212
10.凌　鶴　關於臨川四夢的改譯　頁213-223

11.陳瘦竹　關於牡丹亭和羅密歐與朱麗葉　頁224-254
12.陳　多　讀牡丹亭札記　頁255-273
13.吳小如　關於牡丹亭的幾件小事　頁274-289
14.張　齊　「還魂」之後有精華　頁290-295
15.懷　玉　俗本牡丹亭引起的討論　頁296-311
16.吳鳳雛　南柯夢的思想傾向　頁312-327
17.郁華、萍生　邯鄲夢新探　頁328-345
18.曾獻平　論邯鄲夢　頁346-372
19.何蘇仲　應當重新評價南柯夢與邯鄲夢　頁373-382
20.郭紀金　從夢幻意識看湯顯祖的二夢　頁383-414
21.楊忠、張賢蓉　厭逢人世懶生天——湯顯祖晚年思想及二夢創作芻議　頁415-434
22.劉　雲　略論湯顯祖筆下的理想國　頁435-443
23.萬斌生　從霍小玉傳到紫釵記的得失　頁444-462
24.何　爲　湯顯祖、沈璟、葉堂　頁463-479
25.張秀蓮　「湯沈之爭」外論　頁480-499
26.楊毓龍　臨川派和吳江派的論爭　頁500-518
27.王永健　玉茗堂派初探　頁519-536
28.彭德瑋、錢貴成　酌奇而而不失其眞　玩華而不墜其實——簡論湯顯祖劇詩中的心理描寫　頁537-548
29.鄭　閏　關於湯顯祖的棄官　頁549-559
30.王馨一　湯顯祖在遂昌　頁560-569
31.張發穎　我國舞台史上的臨川四夢　頁570-584
32.龔重謨　湯顯祖雜考三則　頁585-590
33.江西省文學藝術研究所　後記　頁591
〔附〕
34.余　悅　湯顯祖研究資料索引　頁592-621

1472　周育德　　湯顯祖論稿
北京　文化藝術出版社　323頁　1991年6月
1.湯顯祖的哲學思想　頁1-40
2.湯顯祖的宗教意識　頁41-86
3.湯顯祖的文藝觀　頁87-105
4.湯顯祖和萬曆政界　頁106-147
5.湯顯祖和萬曆劇壇　頁148-194
6.臨川四夢中的明代社會　頁195-224
7.臨川四夢和戲曲舞臺　頁225-263

8.也談戲曲史上的湯沈之爭　頁264-280
9.宜黃戲神辨蹤　頁281-292
10.作爲教育家的湯顯祖　頁293-302
11.呂家改的及其他　頁303-314
12.平昌又見玉茗花　頁315-319
13.本書主要參考書目　頁320-323

1473　鄭培凱　　湯顯祖與晚明文化
臺北　允晨文化公司　467頁　1995年11月
1.湯顯祖與晚明文化美學（代序）　頁3-29
2.湯顯祖與晚明政治　頁33-184
3.牡丹亭的故事來源與文字因襲　頁185-204
4.湯顯祖的文藝觀與牡丹亭曲文的藝術成就　頁205-272
5.一時文字業，天下有心人——牡丹亭與紅樓夢在社會思想史層面的關係　頁273-312
6.解到多情情盡處——從湯顯祖到曹雪芹　頁313-356
7.湯顯祖與達觀和尚——兼論湯顯祖人生態度與超越精神的發展　頁357-446
〔附錄〕
8.湯顯祖年譜　頁447-452
9.牡丹亭與中國傳統戲曲　頁453-463
10.索引　頁464-467

1474　王永健　　湯顯祖與明清傳奇研究
臺北　志一出版社　355頁　1995年12月（湯顯祖部份）
1.楊序　頁3-5
2.湯顯祖研究與湯學　頁1-12
3.湯顯祖也是位有創見的史學家和教育家　頁13-24
4.「因情成夢，因夢成戲」——試論臨川四夢的夢境構思和描寫　頁25-42
5.「玉茗堂派」初探　頁43-64
6.「湯詞沈律」合之雙美——略談戲曲史上的湯、沈之爭　頁65-76
7.論吳吳山三婦合評本牡丹亭及其評語　頁77-100
8.吳吳山還魂記或問十七條評注　頁101-118

十三、書目文獻

1475 龔重謨　湯顯祖資料小考
湯顯祖研究論文選　頁　-　江西省撫州地區紀念湯顯祖逝世366週年領導小組辦公室　1982年9月
1476 吳鳳雛、鄒自振　湯顯祖研究論文索引
文藝資料　1982年5期
湯顯祖研究論文選　頁　-　江西省撫州地區紀念湯顯祖逝世366週年領導小組辦公室　1982年9月
1477 本所資料室整理　湯顯祖研究部分論著篇目索引
江西社會科學研究資料　1982年11期
1478 余　悅　湯顯祖逝世366週年資料索引
湯顯祖紀念集　頁353-373　南昌　江西文學藝術研究所　1983年10月
1479 余　悅　湯顯祖研究資料索引
湯顯祖研究論文集　頁592-621　北京　中國戲劇出版社　1984年5月
1480 華東師範大學圖書館　湯顯祖先生著述版本目錄
上海　該館　1957年
1481 毛效同　湯顯祖著作版本
湯顯祖研究資料彙編（下）　上海　上海古籍出版社　1986年9月
1482 毛效同　湯顯祖研究資料彙編
上海　上海古籍出版社　上、下冊　1427頁　1986年9月
1483 徐朔方　評湯顯祖研究資料彙編
浙江學刊　1987年4期　頁49-51轉頁89
1484 根ヶ山徹　湯顯祖研究中文文獻目錄稿
中國古典小說研究動態　第5期　頁75-92　1991年10月

附錄一　湯顯祖研究資料彙編　目　次

一、散佚作品

詩

尺　牘

詞

賦

金堤賦
縉紳賦
秋夜繩牀賦

對 聯

贈寅祖
贈維岳（一）
贈維岳（二）
題金柅閣
題寒光堂
題歸仁書院
題龍沙寺

時 文

次九日嚮用五福
策　第三問
擬大駕北征次玄石坡擒胡山清流泉勒銘凱還羣臣賀表　永樂八年、會墨
天下之政出於一　論、會墨

文

送張伯昇世兄歸吳序
棲約齋集序
宋儒語錄抄釋序
沈氏弋說序
月洞詩序
點校虞初志序
西廂記序
西廂序
□□□序
花間集敍（疑爲僞託）
花間集序（疑爲僞託）

豔異編序（疑爲僞託）
紅拂記題辭
董解元西廂題辭（疑爲僞託）
虞初志評語
續虞初志評語
湯賓尹稿評語
題飲茶錄
尊經閣記
坐隱乩筆記
相圃書院置田記
給相圃租石移文
徐子弼先生傳
隱君子傳
周宗鎬墓表
王德敷先生哀辭
壽詞
妙智堂觀音大士像贊

存　目

四儁詠（詩）
夜坐（詩）
朱謀㙉集序
黃汝亨文集序
譚子五篇序
律呂考變及燭餘漫記序
飛魚記題辭
芍藥記題辭
吳詔相傳
臨川別贈

二、生　平

傳　記

萬曆十一年進士登科錄　湯顯祖簡歷
萬曆十一年癸未科進士同年序齒便覽 湯顯祖簡歷
鄒迪光　湯義仍先生傳
過庭訓　湯顯祖傳
錢謙益　湯遂昌顯祖小傳
查繼佐　湯顯祖傳
萬斯同　湯顯祖傳
明　史　湯顯祖傳
蔣士銓　玉茗先生傳
安徽通志　湯顯祖傳
徐聞縣志　湯顯祖傳
遂昌縣志　湯顯祖傳

事　迹

楊起元　近溪羅先生墓志銘
鄒元標　崇儒書院記
焦　竑　學士贈太師謚文定申公神道碑
劉應秋　徐聞縣貴生書院記
鄭汝璧　知縣湯顯祖興學記
項應祥　平昌湯侯新建尊經閣記
鄭懷魁　遂昌相圃湯侯生祠記
沈德符　萬曆野獲編
鄭仲夔　雋區
談　遷　國榷
　　　　棗林雜俎
明實錄　神宗萬曆實錄

三、家　人

曾　祖

祖父母

父　母

兄　弟

妻

長子士蘧

次子大耆

傅占衡　湯子蕉尾序
壽湯尊宿先生八十
游名柱　尊宿公傳

三子開遠

邱兆麟　題湯孝廉叔寧冊
明　史　湯開遠傳

四子開先

傅占衡　潭庵集序
哭湯季雲
羅萬藻　潭庵公傳

從子維岳

錢　捷　生甫公實錄

四、交　遊

羅汝芳　湯義仍讀書從姑賦贈
　　　　玉冷泉上別湯義仍
　　　　壽湯承塘序
余日德　贈義仍湯孝廉
　　　　湯義仍孝廉至山中
帥　機　四雋咏和湯生作
　　　　別湯義人孝廉
　　　　義人下第歸過訪得月字
　　　　送湯義歸併訊謝友可共和之
　　　　喜湯義得第
　　　　寄答湯義進士
　　　　伏日郭祠部邀義人公廨避暑作
　　　　送謝秀才友可歸金谿一首

鄒元標　贈湯博士
　　　　湯義謫尉朝陽序
　　　　書海若開士秋山讀書圖
　　　　歸仁書院記
羅大紘　湯封君八十序
姜士昌　丁右武參知悼子後得賢孫，甚奇。天之報施右武，良不爽也。湯若士作奇喜賦，諸公多賦咏，予亦次焉
　　　　引玉版集
余　寅　與遂昌令湯義
劉應秋　與湯若士
　　　　又
　　　　又
　　　　又
　　　　又
　　　　又
　　　　又
　　　　又
　　　　又
　　　　又
　　　　又
　　　　又
　　　　又
　　　　又
　　　　又
　　　　又
　　　　又
　　　　再上山陰王相國書
　　　　與張洪陽先生
　　　　與岳石帆
　　　　家書六
項應祥　柬湯明府
伍定相　祀崇賢祠祝文
虞淳熙　與許木孺
　　　　答平昌令湯義仍
　　　　明楊何二孝婦墓誌銘
　　　　明太學吳仲虛誄

答湯若士
又
與湯若士
復湯若士
答湯若士
與湯海若
又
與談生
與鄭應尼
遊麻姑諸山記
奉訓大夫宗人府儀賓魏公墓表
亡友吳仲虛行狀
祭丁右武文
兩君詠
秋山讀書圖爲海若高士題
祭湯若士先生文

張師繹　姚元卿遺稿序
明故桃源縣儒學教諭姚元卿先墓誌銘
野政朱公墓誌銘
祭故祠部郎臨川湯若士先生文
〔附〕新喻縣志　張師繹傳

鄧　渼　春日述懷寄湯義仍四十韻

汪廷訥　與湯祠部義仍程山人伯書登鳩茲清風樓聯句
〔附〕朱彝尊　靜志居詩話

張大復　梅花草堂筆談
與臨川湯先生書
又
〔附〕蔣　鑽　張元長先生傳

謝三秀　湯祠部義仍先生招集玉茗堂賦謝
〔附〕吳中藩　雪鴻堂詩選序

黃立言　春夜同湯義仍踏燈作
〔附〕廣昌縣志　黃立言傳

錢希言　酬湯義仍膳部置酒紅泉贈別之作四首
〔附〕錢謙益　錢山人希言小傳

謝兆申　鍾宗望自粵攜家至臨川，客帥氏伯仲所三年，師湯義仍先生，予聞而異之

臨川縣志　人物志
遂昌縣志　職官志
　　　　　人物志
　　　　　〔附〕陳函輝　庭訓格言序
　　　　　　　　葉　澳　登黃塘廟横樓
南昌縣志　人物志
廣昌縣志　人物志
新建縣志　藝文志
東鄉縣志　徐良傅傳
金谿縣志　人物志
吉水縣志　人物志
南城縣志　人物志
進賢縣志　人物志
東莞縣志　人物志
嘉興縣志　人物志
海鹽縣志　人物志
青田縣志　人物志
鄞縣志　人物志
麗水縣志　人物志
仁和縣志　人物志
松陽縣志　人物志
金壇縣志　人物志
儀徵縣志　人物志
銅陵縣志　人物志
陳田　明詩紀事

五、詩文述評

徐　渭　與湯義仍書
　　　　讀問棘堂集擬寄湯君
　　　　問棘郵草總評
　　　　問棘郵草諸作評語
　　　　漁樂圖
汪道昆　復周寂六

前朝列大夫飭兵督學湖廣少參兼僉憲君揚龍公墓表
陳雲怡先生近義序
范景文　來禽館文集序
華　淑　盛明百家詩序
許重熙　玉茗堂文集序
郭孔延　資德大夫兵部尚書郭公青螺年譜
韓　敬　玉茗堂全集序
陳洪謐　玉茗堂集選序
沈際飛　玉茗堂集敍
玉茗堂賦集題詞
玉茗堂賦評語
玉茗堂詩集題詞
玉茗堂詩評語
玉茗堂文集題詞
玉茗堂文評語
玉茗堂尺牘題詞
玉茗堂尺牘評語
蔣如奇　湯顯祖文評語
董　說　東石澗日記
陸雲龍　湯若士先生小品弁首
湯若士小品評語
薛正平　石園全集序
曾異撰　復潘昭度師書
李　清　與邱進夫
賀貽孫　示兒二
談　遷　上吳駿公太史書
棗林雜俎
錢謙益　玉茗堂文集序
湯義仍先生文集序
姚叔祥過明發堂，共論近代詞人，戲作絕句十六首（錄其二、三）
和遵王述懷感德詩四十韻兼示夕公勅先
金陵歸過句容，柬臨川李學使二首（錄第二）
答山陰徐伯調書
宋玉叔安雅堂集序
讀宋玉叔文集題辭
復遵王書

何　焯　兩浙訓士條約
宋長白　柳亭詩話
李　紱　應敬庵先生七十壽序
　　　　蔣樹存七十壽讌序
　　　　秋山論文四十則
　　　　清風門考
朱　琰　湯顯祖送別劉大甫詩評語
應　麟　湯顯祖文評語
謝啓昆　論明詩絕句九十六首（錄其一）
四庫全書總目提要
　　　　五侯鯖字海二十卷（安徽巡撫採進本）
　　　　別本茶經三卷（浙江鮑士恭家藏本）
　　　　愛吾廬集八卷（江西巡撫採進本）
　　　　玉茗堂集二十九卷（兩江總督採進本）
范懋柱　天一閣書目
遂昌縣志　雜事志
汪　端　明三十家詩選凡例
萬　咏　如章公傳
迮鶴壽　蛾術編元黃潛之文案語
李聯琇　效張月舫寶鈺江陰寇變記
　　　　雜　識
曾　燠　論詩雜詠
譚　獻　復堂日記
李慈銘　越縵堂讀書記
平步青　霞外攟屑
金谿縣志　人物志
陳　田　明詩紀事己籤序
　　　　明詩紀事庚籤序
　　　　湯顯祖小傳按語
林　紓　春覺齋論文
邱聿木　玉茗堂文集萬曆本校勘記
無瑕道人　花間集跋
徐士俊　湯顯祖詞評語
李　雯　留春令　和湯若士
尤　侗　艮齋雜說
　　　　倚聲詞話序

六、戲 劇

四 夢

綜合述評

陳洪綬　槎庵先生傳
黃周星　製曲枝語
張　岱　答袁籜菴
駱問禮　與葉春元
賀貽孫　詩餘序
沈自晉　重定南詞全譜凡例
　　　　重定南詞全譜凡例續紀
　　　　〔附〕沈自友　鞠通生小傳
沈永隆　南詞新譜後敍
王龍光　次和淚譜
錢謙益　茅太學維小傳
黃宗羲　偶書
　　　　外舅廣西按察使六桐葉公改葬墓誌銘
　　　　胡子藏院本序
　　　　梁清標　劉園觀陳伶演秋江劇，次雪堂韻（共六首，錄第五首）
周亮工　復余澹心
杜　濬　答汪秋澗
尤　侗　艮齋雜說
陸次雲　玉茗堂四夢評
李式玉　曲顧
徐世溥　與友人
劉廷璣　在園雜志
李　紘　南園答問
黃　振　石榴記凡例
王文治　納書楹玉茗堂四夢曲譜序
葉　堂　納書楹四夢全譜自序
　　　　納書楹四夢全譜凡例
　　　　納書楹曲譜按語
阮葵生　茶餘客話
陳　棟　北涇草堂曲論
凌廷堪　與程時齋論曲書
　　　　一斛珠傳奇序
　　　　論曲絕句三十二首（錄十、十八、十九首）
　　　　高陽臺商調　同黃秋平、焦里堂雨花臺觀劇
郭　麐　靈芬館詞話
焦　循　劇說

改　編

紫簫記

述　評

沈德符　萬曆野獲編
徐復祚　花當閣叢談
祁彪佳　明曲品（豔品）
曲海總目提要　紫簫記
魯　迅　稗邊小綴
吳　梅　紫簫記跋

演　唱

謝廷諒　范長倩招飲竟日，李聞伯適至，洗盞更酌，復歌紫簫。賦此

紫釵記

述　評

沈際飛　題紫釵記
柳浪館　紫釵記總評
王彥泓　閑事雜題（九首，錄第八）
祁彪佳　明曲品（豔品）
曲海總目提要　紫釵記
焦　循　劇說
西溪山人　吳門畫舫錄
捧花生　畫舫餘譚
梁廷枏　曲話
劉世珩　玉茗堂紫釵記跋
吳　梅　小玲瓏山館舊藏紫釵記跋
　　　　暖紅室刊紫釵記跋
　　　　紫釵記跋
　　　　幽閨記跋
　　　　踏雪尋梅跋
　　　　紅梅記跋

改　編

演唱·演員

還魂記

述　評

陳繼儒　牡丹亭題詞
王思任　批點玉茗堂牡丹亭詞敍
著　壇　湯義仍先生還魂記凡例
沈際飛　牡丹亭題詞
吳從先　小窗自紀
鄭元勳　花筵賺序評語
　　　　夢花酣題詞
張　琦　衡曲麈譚
徐士俊　添字昭君怨
葉小鸞　又題美人遺照
　　　　又繼前韻
徐樹丕　識小錄
湯傳楹　閒餘筆話
黎遂球　顧修遠選庚辰房書序
祁彪佳　明劇品
支如增　小青傳
衞　泳　悅容編
賀貽孫　詩筏
周亮工　因樹屋書影
李　漁　閒情偶寄
毛先舒　詞曲
　　　　與李笠翁論歌書
尤　侗　艮齋雜說
　　　　奏對備忘錄題跋
朱彝尊　靜志居詩話
劉本沛　後虞書
胡介祉　格正還魂記詞調序
洪　昇　長生殿例言
孔尚任　桃花扇評語
　　　　與王歙州
宋　犖　觀桃花扇傳奇漫題六絕句（錄第六）
王　苹　桃花扇題辭（七首，錄第七）
林以寧　還魂記題序
吳　人　談則　錢宜　還魂記序
吳　人　錢宜　還魂記或問
錢　宜　還魂記補白

陸繼輅　江西船不施窗，小有風雨，即終日暗坐，戲書遣悶
焦　循　劇說
錢　泳　履園叢話
　　　　題曲目新編後
楊懋建　夢華瑣簿
梁紹壬　兩般秋雨盦隨筆
周　縉　桃谿雪傳奇敍
姚　燮　今樂考證
梁廷枏　曲話
趙惠甫　能靜居筆記
倪　鴻　桐蔭清話
楊　錞　重建牡丹亭記
楊恩壽　詞餘叢話
鄒　弢　三借廬筆談
邱煒萲　客雲廬小說話
浴血生等　小說叢話
李慈銘　越縵堂讀書記
況周儀　餐櫻廡隨筆
王國維　紅樓夢評論
　　　　錄曲餘談
劉世珩　玉茗堂還魂記跋
　　　　格正還魂記詞調跋
錢靜方　小說叢考
陳　蘧　曲海總目提要序
蔣瑞藻　小說考證
　　　　小說枝談
姚　華　菉猗室曲話
吳　梅　還魂記跋
　　　　三婦合評本還魂記跋
　　　　怡府本還魂記跋
　　　　冰絲館本還魂記跋
　　　　桃源景跋
　　　　畫中人跋
　　　　小桃紅跋
　　　　顧曲麈談
　　　　曲學通論

改編・續編

傅惜華　明代戲曲與子弟書
趙景深　談牡丹亭的改編
孟　超　談贛劇弋陽腔還魂記
梅蘭芳　我的電影生活
　　　　游園驚夢從舞臺到銀幕

演唱·演員

張大復　梅花草堂筆談
潘之恆　曲餘
　　　　情癡　覩演牡丹亭還魂記書贈二孺
據梧子　筆夢
蕭士瑋　春浮園偶錄
王彥泓　櫟園姨翁座上預聽名，并觀二劍，即事呈咏（錄三首）
葉紹袁　年譜別記
朱　隗　鴛湖主人出家姬演牡丹亭記歌
祁彪佳　棲北冗言
錢謙益　春夜聽歌贈秀姬十首
讀豫章仙音譜漫題八絕句，呈太虛宗伯并雪堂、梅公、古嚴、計百諸君子
李元鼎　春暮偕熊雪堂少宰、黎博菴學憲讌集太虛宗伯滄浪亭，觀女伎演牡丹劇，歡聚深宵，以門禁爲嚴，未得入城，趨臥小舟，曉起步雪老前韻，得詩四首
　　　　丁酉初春，家宗伯太虛偕夫人攜小女伎過我，演燕子箋、牡丹亭諸劇，因各贈一絕，得八首
　　　　初春寄宗伯年嫂，并憶烟波曉寒諸女伶
梁清標　冬夜觀伎演牡丹亭
侯方域　答田中丞書
　　　　李姬傳
冒　襄　水繪庵修禊記
余　懷　鷓鴣天
　　　　又
　　　　玉樓春
　　　　又
黃宗羲　聽唱牡丹亭（乙丑八月十八日）
尤　侗　春夜過卿謀觀演牡丹亭
王士禛　望江南（錄二首）

邯鄲記

述　評

臧懋循　邯鄲夢記總評
袁宏道　邯鄲夢記總評
許中翰　邯鄲夢記總評
劉放翁　邯鄲夢記總評
鍾　惺　舟中看邯鄲夢傳奇，偶題左方
劉志禪　邯鄲夢記題辭
閔光瑜　邯鄲夢記小引
　　　　邯鄲夢記凡例
王思任　猿聲集序
沈際飛　題邯鄲夢
祁彪佳　明曲品
陳　瑚　得全堂夜宴後記
洪　昇　揚州夢傳奇序
王正祥　盧鳴鑾　宗北歸音凡例
曲海總目提要　邯鄲記
袁　棟　書隱叢說
焦　循　劇說
鈕樹玉　日記
梁廷枏　曲話
劉世珩　玉茗堂邯鄲記跋
錢靜方　小說叢考
王先生　中國歷代小說史論
魯　迅　稗邊小綴
吳　梅　邯鄲記跋
　　　　八仙慶壽跋
　　　　半夜朝元跋
　　　　牡丹仙跋
　　　　顧曲麈談
王季烈　螾廬曲談
譚　行　略談湯顯祖和他的邯鄲記
侯外廬　論湯顯祖邯鄲記的思想與風格

改　編

演唱·演員

三和檜門先生觀劇絕句三十首（錄第二十九）
易順鼎　和檜門先生觀劇絕句三十首（錄第二十九）

南柯記

述　評

柳浪館　南柯夢記總評
沈際飛　題南柯夢
張玉穀　滿江紅　題南柯記傳奇
曲海總目提要　南柯記
梁廷柟　曲話
劉世珩　玉茗堂南柯記跋
魯　迅　稗邊小綴
　〔附〕李公佐　南柯太守傳
吳　梅　暖紅室刊玉茗堂南柯記跋
　　南柯記跋
　　小桃紅跋

演唱・演員

祁彪佳　歸南快錄
小鐵篴道人　日下看花記
楊懋建　長安看花記
邗江小遊仙客　菊部羣英
佚　名　新刊鞠臺集秀錄

七、其他作品述評

宋史記述評

錢謙益　跋東部事略
王士禛　分甘餘話

續虞初志述評

戲劇研究及述評

八、遺　迹

塋　墓

臨川縣志　湯顯祖墓
文昌湯氏宗譜　靈芝園地基

玉茗堂

湯　頤　撫郡湯氏廨宇規模記
文昌湯氏宗譜　玉茗堂地基
陸　輅　鼎建湯若士先生玉茗堂祠記
　　〔附〕王式穀　若士公贊
王士禛　居易錄
　　　　門人陸次公輅通判撫州重建玉茗堂落成賦詩紀事
李來泰　玉茗堂
劉命清　玉茗堂
劉玉瓚　玉茗堂
胡亦堂　玉茗堂
丁宏誨　玉茗堂
張瑤芝　玉茗堂
胡挺松　玉茗堂
丁茂繩　玉茗堂
胡挺柏　玉茗堂
董劍鍔　玉茗堂
揭貞傳　玉茗堂
釋傳綮　玉茗堂
饒宇朴　玉茗堂
李茹旻　玉茗堂
李傳熊　玉茗堂
嚴遂成　臨川尋玉茗堂遺址
吳嵩梁　湯若士先生玉茗堂
錢　泳　履園叢話

遂昌相圃書院等

遂昌縣志　建置、寺觀

王玄度　過湯義仍先生所構相圃書院
胡世定　相圃書院
秦　瀛　過遂昌懷湯若士先生
繆之弼　遺愛祠記
王夢篆　題遺愛祠
吳世涵　題遺愛祠

九、以湯氏生平爲題材之戲劇

蔣士銓　臨川夢自序
況　槑　花簾塵影
吳　梅　臨川夢記跋

附錄二　引用工具書目錄

一　畫

一五二二種學術論文集史學論文分類索引　周迅、李凡、李小文編
　北京　書目文獻出版社　1990年2月

四　畫

文學遺產索引（1954.3-1966.6）高宇鑾編
　北京　中華書局　1981年2月
中文報紙文史哲論文索引　張錦郎編
　臺北　正中書局　1973年3月
中國人民大學圖書館古籍善本書目　中國人民大學圖書館編
　北京　中國人民大學出版社　1991年2月
中國文化研究論文目錄（第2、5冊）　國立中央圖書館編
　臺北　臺灣商務印書館　1988年1月、1985年12月
中國文學古籍博覽　李樹蘭編著
　太原　山西人民出版社　1988年3月
中國文學年鑑　中國社會科學院文學研究所中國文學年鑑編輯委員會編
　北京　社會科學文獻出版社　1993年2月
中國文學研究要覽（1945-1977 戰後篇）　吉田誠夫等編
　日外アソシェーツ株式會社　1979年10月
中國古典文學研究年鑑（1984）　中國古典文學研究年鑑編委會編
　上海　上海古籍出版社　1987年2月
中國古典文學研究論文索引（1949-1980）　中山大學中文系資料室編
　南寧　廣西人民出版社　1984年6月
中國古典文學研究論文索引（1980—1981）　中國社會科學院文學研究
　所資料室編　北京　中華書局　1985年10月
中國古典文學研究論文索引（1982—1983）　中國社會科學院文學研究
　所資料室編　北京　中華書局　1988年9月

中國古典文學研究論文索引（1984—1985） 中國社會科學院文學研究所資料室編　北京　中華書局　1995年7月
中國古代文學資料目錄索引（1949-1979） 遼寧大學中文系七八屆古代文學研究生編　不著出版年月
中國古代、近代文學研究論文索引　中國人民大學書報資料中心編　中國古代、近代文學研究（複印報刊資料）（1979年—1996年）　北京　同編者　1979年—1996年
中國古典戲曲小說研究索引　于曼玲編　廣州　廣東高等教育出版社　2冊　1992年8月
中國古典戲曲研究資料索引　香港大學中文學會編　香港　廣角鏡出版社　1989年9月
中國史學論文索引　中國科學院歷史研究所第一二所、北京大學歷史系合編　北京　科學出版社　1957年6月
中國近八十年明史論著目錄　中國社會科學院歷史研究所明史研究室編　南京　江蘇人民出版社　1981年2月
中國近代戲曲論著總目　傅曉航、張秀蓮編　北京　文化藝術出版社　1994年4月
中國近代現代叢書目錄　上海圖書館編　上海　該館　1979年9月
中國科學院圖書館藏中文古籍善本書目　中國科學院圖書館編　北京　科學出版社　1994年3月
中國戲曲研究書目提要　中國藝術研究院戲曲研究所資料室編　北京　中國戲劇出版社　1992年7月
中國叢書綜錄　上海圖書館編　上海　上海古籍出版社　1986年
中華民國出版圖書目錄彙編、續輯、三輯、四輯、五輯、六輯　國立中央圖書館編目組編　臺北　該館　1964年—1988年
中華民國期刊論文索引彙編（民國66年—80年） 國立中央圖書館期刊股編　臺北　該館　1978年—1991年
中華書局圖書目錄（1949-1991） 中華書局總編室編　北京　中華書局　1993年5月
日本譯中國書綜合目錄　譚汝謙主編、小川博編輯　香港　中文大學出版社　1981年

五　畫

古代戲曲研究論文索引（1977-1981）　陳企孟編
　曲苑　第1輯　南京　江蘇古籍出版社　1984年7月
古典小說戲曲研究資料目錄　朱傳譽主編
　臺北　天一出版社　1990年6月
民國時期總書目（1911-1949）（中國文學）　北京圖書館編
　北京　書目文獻出版社　1992年11月
北京圖書館古籍善本書目　北京圖書館編
　北京　書目文獻出版社　不著出版年月
四庫全書傳記資料索引　中華文化復興運動推行委員會四庫全書索引編纂小組編
　臺北　臺灣商務印書館　1991年6月

六　畫

曲苑新書（1978-1981）　封桂榮編
　曲苑　第1輯　南京　江蘇古籍出版社　1984年7月
曲海總目提要　佚　名著
　上海　大東書局　1928年；北京　人民文學出版社　1959年；臺北
　新興書局　1967年；天津　天津古籍書店　1992年6月
全國博碩士論文分類目錄（民國38年—78年）　國立政治大學社會科學資料中心編
　臺北　國立政治大學　1977年—1991年

八　畫

東北師範大學圖書館藏古籍善本書目解題
　長春　東北師範大學　1984年3月
東吳大學圖書館所藏珍本戲曲目錄　陳美雪著
　中國書目季刊　第30卷3期　1996年12月
東洋史研究文獻類目（1934-1962）京都大學東方文化研究所編
　京都　同編者　1935年—1963年
東洋學文獻類目（1963—1993）　京都大學人文科學研究所附屬東洋學文獻中心編
　京都　同編者　1966年—1996年

明代史研究文獻目錄　山根幸夫編
　東京　汲古書院　1993年11月
明代傳奇全目　傅惜華編
　北京　人民文學出版社　1959年12月（中國古典戲曲總錄之五）
明代傳記叢刊索引　周駿富編
　臺北　明文書局　1991年10月

九　畫

美國國會圖書館藏中國善本書目　王重民輯錄　袁同禮重校
　臺北　文海出版社　1972年6月

十一畫

現代論文集文史哲論文索引　楊國雄、黎樹添編
　香港　香港大學亞洲研究中心　1979年
國立中央圖書館善本書目　國立中央圖書館特藏組編
　臺北　國立中央圖書館　1986年12月增訂2版
國文天地總目錄暨分類索引（第6-10卷）　國文天地編輯部編
　臺北　國文天地雜誌社　1995年11月
國內中國語文學研究論著目錄　徐敬浩編
　漢城　正一出版社　1991年10月
國外研究中國戲曲的英語文獻索引　孫玫編
　戲曲研究　第20輯　頁290-300　1986年11月

十二畫

湯顯祖研究中文文獻目錄稿　根ヶ山徹編
　中國古典小說研究動態　第5號　1991年10月19日
湯顯祖研究資料索引　余悅編
　湯顯祖研究論文集　頁592-620　北京　中國戲劇出版社　1984年5月
湯顯祖逝世366周年資料索引　余　悅編
　湯顯祖紀念集　南昌　江西省文學藝術研究所　1983年10月

湯顯祖著作版本　毛效同編
　湯顯祖研究資料彙編（下）　上海　上海古籍出版社　1986年9月
善本劇曲經眼錄　張棣華著
　臺北　文史哲出版社　1976年6月

十三畫

傳奇彙考　佚名著
　北京　書目文獻出版社　1994年3月

十四畫

臺灣公藏善本書目人名索引　國立中央圖書館編
　臺北　該館　1972年8月
臺灣公藏善本書目書名索引　國立中央圖書館編
　臺北　該館　1971年6月
臺灣公藏普通本線裝書目人名索引　國立中央圖書館編
　臺北　該館　1980年1月
臺灣公藏普通本線裝書目書名索引　國立中央圖書館編
　臺北　該館　1982年1月
臺灣出版中國文學史書目提要　黃文吉編撰
　臺北　萬卷樓圖書公司　1996年2月
臺灣地區漢學論著選目彙編本（民國71年—74年）　漢學研究中心編
　臺北　該中心　1987年6月
臺灣地區漢學論著選目彙編本（民國76年—80年）　漢學研究中心編
　臺北　該中心　1992年6月

十五畫

論古代中國——1950-1980日文文獻目錄
　北京　書目文獻出版社　1984年3月

十六畫

遼金元明文學論著集目正編　王民信編
臺北　五南圖書出版公司　1996年7月（中國文學論著集目正編之六）

十七畫

戲曲小說書錄解題　孫楷第著
北京　人民文學出版社　1990年10月

英　文

Hummel, Arthur W.,ed. *Eminent Chinese of the Ch'ing Period (1644-1912)*. 2vols. Washington,D.C.:U.S. Government Printing Office, 1943-1944.　臺北　成文出版社　1冊　1964年

Nienhauser, Jr, William H,ed. *The Indiana Companion to Traditional Chinese Literature*. Bloomington:Indiana University Press,1986.　臺北　南天書局　1988年5月影印本

Shulman, Frank Joseph, comp. *Doctoral Dissertations on China,1971-1975 : A Bibliography of Studies in Western Languages.* Seattle:University of Washington Press,1978.

Shulman, Frank Joseph, comp. *Doctoral Dissertations on Asia : An Annotated Bibliographical Journal of Current International Research.* Ann Arbor, Michigan: The Association for Asian Studies,1996.

Yuan, Tung-li, ed. *China in Western Literature:A Continuation of Cordier's* Bibliotheca Sinica.　臺北　古亭書屋影印本　不著出版年月

附錄三　引用專著和論文集目錄

二　畫

十大戲曲家　章培恆主編
　上海　上海古籍出版社　1990年7月
人民日報文藝評論選集
　北京　人民日報出版社　1962年12月

三　畫

小說戲曲論集　劉輝著
　臺北　貫雅文化事業公司　1992年3月
小說叢考　錢靜方著
　臺北　新文豐出版公司　1982年

四　畫

方志著錄元明清曲家傳略　趙景深、張增元編
　北京　中華書局　1987年2月
文學研究論叢　莊嚴出版社編輯部編
　臺北　莊嚴出版社　1978年10月
文學遺產選集　第3集　文學遺產編輯部編
　北京　作家出版社　1960年5月
比較文學三百篇
　上海　上海文藝出版社　1990年
比較戲劇論文集　夏寫時、陸潤棠編
　北京　中國戲劇出版社　1988年12月
元明清曲選　錢南揚編註

南京　正中書局　1936年4月；臺北　正中書局　1953年（國文精選叢書）
元明清劇曲史　陳萬鼐著
臺北　中國學術著作獎助委員會　1966年2月
元明清戲曲研究論文集　作家出版社編輯部編
北京　作家出版社　1957年7月
元明清戲曲研究論文集　二集　作家出版社編集部編
北京　作家出版社　1959年2月
元明清戲曲賞析　宋綿有著
天津　南開大學出版社　1985年10月
元明清戲曲探索　徐扶明著
杭州　浙江古籍出版社　1986年7月
元明清戲曲選　隗　芾著
長春　吉林人民出版社　1981年11月
元明清戲曲選　佚　名選
臺北　學海出版社　1979年1月
支那近世戲曲史　青木正兒著
東京　弘文堂　1930年
青木正兒全集　第3卷　東京　春秋社　1969年
中國文學史參考資料簡編（下冊）北京大學中文系古代文學教研室選編
北京　北京大學出版社　1989年11月
中國文學史論集（三）張其昀等著
臺北　中華文化出版事業委員會　1958年4月
中國文學作品選（二）古代部分　王　瑩選注
北京　北京大學出版社　1986年6月
中國文學家故事　鄭惠文著
臺北　莊嚴出版社　1977年11月
中國文學講話（九）明代文學
臺北　巨流圖書公司　1987年5月
中國古代文學作品選（金元明部分）鄧魁英主編
北京　北京師範大學出版社　1987年5月
中國古代文論家評傳　牟世金主編
鄭州　中州古籍出版社　1988年8月
中國古代戲劇家
香港　上海書局　1963年1月
中國古典小說戲劇欣賞　岳麓書社編
長沙　岳麓書社　1984年5月

中國古典小說戲劇賞析
　臺北　木鐸出版社　1986年9月
中國古典文學名著賞析　徐應佩、周溶泉著
　太原　山西教育出版社　1982年5月
中國古典文學參考資料（下）　江西教師函授學校編
　香港　一新書店
中國古典文學精粹選讀　夏傳才主編
　北京　語文出版社　1995年5月
中國古典文學論文精選叢刊　戲劇類（二）
　臺北　幼獅文化事業公司　1980年8月
中國古典名劇鑑賞辭典　徐培均、范民聲主編
　上海　上海古籍出版社　1990年12月
中國古典悲喜劇論集　上海文藝出版社編
　上海　上海文藝出版社　1983年5月
中國古典戲曲選注　曾永義選注
　臺北　國家出版社　1994年10月
中國古典戲劇論集　張敬等著
　臺北　幼獅文化事業公司　1985年
中國近代戲曲史　青木正兒著　鄭　震譯
　上海　北新書局　1933年3月
中國近世戲曲史　青木正兒著　王古魯譯
　上海　商務印書館　1936年2月；臺北　臺灣商務印書館　1965年臺1版
中國歷代文學名篇欣賞（明清文學）　四川人民廣播電台編
　貴陽　貴州人民出版社　1985年4月
中國歷代愛情文學系列賞析辭典　張燕瑾、門　巋主編
　哈爾濱　哈爾濱出版社　1991年12月
中國歷代戲曲選　郭雲龍校訂
　臺北　宏業書局　1990年7月再版
中國戲曲史漫話　吳國欽著
　上海　上海文藝出版社　1980年6月；臺北　木鐸出版社　1983年8月
中國戲曲史論集　張燕瑾著
　北京　北京燕山出版社　1995年3月
中國戲曲通史（中）　張庚、郭漢城著
　北京　中國戲劇出版社　1981年5月；臺北　丹青圖書公司　不著出版年月
中國戲曲選　王起主編
　北京　人民文學出版社　3冊　1985年12月

中國戲劇史　張燕瑾著
　臺北　文津出版社　1993年7月
中國戲劇史略　周貽白著
　上海　商務印書館　1936年9月（戲劇小叢書）
中國戲劇學史稿　葉長海著
　臺北　駱駝出版社　1987年8月
中華戲曲　第二輯
　太原　山西人民出版社　1986年10月
中華戲曲　第四輯
　太原　山西人民出版社　1987年12月
中華戲曲　第七輯
　太原　山西人民出版社　1988年12月
中華戲曲　第十輯
　太原　山西人民出版社　1991年4月
中華戲曲　第十四輯
　太原　山西人民出版社　1993年8月
以戲代藥　蔣星煜著
　廣州　廣東人民出版社　1980年11月

五　畫

古代小說戲曲論叢　聶石樵、鄧魁英著
　北京　中華書局　1985年5月
古代戲曲選注　胡　忌選注
　北京　中華書局　1962年8月
古代戲劇鑑賞辭典　王志武著
　西安　陝西人民出版社　1988年5月
古典小說戲曲叢考　劉修業著
　北京　作家出版社　1958年
古典小說戲劇名作賞析　名作欣賞編輯部編
　太原　山西人民出版社　1985年5月
古典文學名篇賞析（二）
　臺北　木鐸出版社　1987年7月
古典文學研究動態　文史知識編輯部編
　北京　中華書局　1993年3月

古典文學論叢　第二輯
　西安　陝西人民出版社　1982年12月
古典文學鑑賞集（三）　中央電大古典文學組、電大語文編輯部編
　瀋陽　遼寧教育出版社　1988年8月
古典戲曲十講　沈達人、顏長珂主編
　北京　中華書局　1986年8月
古典戲曲研究論集
　香港　宏智書店
玉輪軒曲論　王季思著
　北京　中華書局　1980年1月
玉輪軒曲論新編　王季思著
　北京　中國戲劇出版社　1983年5月
玉輪軒曲論三編　王季思著
　北京　中國戲劇出版社　1988年

六　畫

曲苑　第1輯　曲苑編輯部編
　南京　江蘇古籍出版社　1984年7月
曲海蠡測　譚正璧、譚尋著
　杭州　浙江人民出版社　1983年1月
曲選　吳梅編
　上海　商務印書館　1930年11月；1932年9月國難後第1版（國立中央大學叢書）
曲論初探　趙景深著
　上海　上海文藝出版社　1980年7月

七　畫

宋元明清劇曲研究論叢　第四集　存粹學社編集
　香港　大東圖書公司　1979年12月
沈醉東風　朱昆槐選註
　臺北　時報文化事業公司　1984年10月

八畫

昆曲研究會彩纂紀念集　北平國劇學會編
　北平　該會　1942年6月
明代戲曲選注　馮金起選注
　上海　上海古籍出版社　1983年9月（中國古典文學作品選讀）
明代劇曲史　朱尚文著
　臺北　高長印書局　1959年10月
明代劇作家研究　八木澤元著
　臺北　中新書局　1977年4月
明清文學史：明代卷　吳志達著
　武昌　武漢大學出版社　1991年12月
明清言情劇作學史稿　陳　竹著
　武昌　華中師範大學出版社　1991年8月
明清傳奇　趙景深、胡　忌選注
　上海　春明出版社　1955年6月
明清傳奇　王永健著
　南京　江蘇教育出版社　1989年12月
明清傳奇選　趙景深、胡　忌選注
　北京　中國青年出版社　1957年11月；1981年1月
明清傳奇選注　羅錦堂選注
　臺北　聯經出版事業公司　1982年11月
明清傳奇考論　俞爲民著
　臺北　華正書局　1993年7月
明清傳奇概說　朱承樸、曾慶全著
　香港　三聯書店香港分店　1985年4月
明清戲曲史　盧　前著
　南京　鍾山書局　1933年12月
　上海　商務印書館　1935年6月（國學小叢書）
　臺北　臺灣商務印書館　1971年10月（人人文庫1720）
明清戲曲家考略　鄧長風著
　上海　上海古籍出版社　1994年12月
金瓶梅西方論文集　徐朔方編
　上海　上海古籍出版社　1987年

九　畫

俞平伯詩詞曲論著　俞平伯著
臺北　長安出版社　1986年4月（書名原作《論詩詞曲雜著》）
紅樓夢與戲曲比較研究　徐扶明著
上海　上海古籍出版社　1984年12月

十　畫

徐渭論稿　張新建著
北京　文化藝術出版社　1990年9月

十一畫

訪書聞見錄　路　工著
上海　上海古籍出版社　1985年8月
陳中凡論文集　陳中凡著
上海　上海古籍出版社　1993年8月
晚明曲家年譜　第三卷　徐朔方著
杭州　浙江古籍出版社　1993年12月

十二畫

湯顯祖紀念集　江西省文學藝術研究所編
南昌　該所　1983年10月
湯顯祖研究資料彙編　毛效同編
上海　上海古籍出版社　1986年9月
湯顯祖研究論文集　江西省文學藝術研究所編
北京　中國戲劇出版社　1984年5月
湯顯祖與明清傳奇研究　王永健著
臺北　志一出版社　1995年12月
湯顯祖與晚明文化　鄭培凱著
臺北　允晨文化公司　1995年11月

湯顯祖論稿　周育德著
　北京　文化藝術出版社　1991年6月

十三畫

詩詞曲賦名作賞析（二）
　太原　山西人民出版社　1985年8月

十四畫

漢上宧文存　錢南揚著
　上海　上海文藝出版社　1980年8月

十五畫

論中國戲劇批評　夏寫時著
　濟南　齊魯書社　1988年10月
論詩詞曲雜著　俞平伯著
　上海　上海古籍出版社　1983年10月；臺北　長安出版社　1986年4月
　（書名改作《俞平伯詩詞曲論著》）
論湯顯祖及其他　徐朔方著
　上海　上海古籍出版社　1983年8月
論湯顯祖劇作四種　侯外廬著
　北京　中國戲劇出版社　1962年6月
劇曲選注　賴橋本編著
　臺北　臺灣學生書局　1985年10月初版；1993年9月增訂版

十六畫

歷代曲選注　朱自力、呂　凱、李崇遠選注
　臺北　里仁書局　1994年11月
歷代著名作家簡介

鄭州　河南人民出版社　1982年8月
學林漫錄　第10集
北京　中華書局　1985年5月

十七畫

戲曲小說叢考　葉德均著
北京　中華書局　1979年5月
戲曲研究　第10輯
北京　文化藝術出版社　1983年9月
戲曲研究　第18輯
北京　文化藝術出版社　1986年4月
戲曲研究　第22輯
北京　文化藝術出版社　1987年6月
戲曲研究　第23輯
北京　文化藝術出版社　1987年9月
戲曲研究　第24輯
北京　文化藝術出版社　1987年12月
戲曲研究　第27輯
北京　文化藝術出版社　1988年9月
戲曲研究　第28輯
北京　文化藝術出版社　1988年12月
戲曲研究　第33輯
北京　文化藝術出版社　1990年6月
戲曲研究　第40輯
北京　文化藝術出版社　1992年3月
戲曲筆談　趙景深著
北京　中華書局　1962年11月
戲曲雜記　徐朔方著
上海　古典文學出版社　1956年
戲曲論叢　第二輯　葉開沅主編
蘭州　蘭州大學出版社　1989年11月
戲曲藝術論集　馬少波著
北京　中國戲劇出版社　1982年4月

作 者 索 引

編 輯 説 明

一、本索引按作者姓名筆畫之多寡排列。西方作者排在最後。

二、同一作者論文有以筆名或字號發表者，一律將編號繫於本名之下，並於其它名字下，註明見×××，如：

平　伯　見俞平伯

泖東一蟹　見錢靜方

凌　鶴　見石凌鶴

三、各論文有不題作者者，皆繫於七畫「佚名」之下。

四、本索引由鑫華電腦排版公司陳炳麟先生編輯完成，特誌謝忱。

二　畫

三　畫

四　畫

五　畫

六　畫

七　畫

八　畫

九　畫

十　畫

十一畫

十 三 畫

十四畫

十 五 畫

十六畫

十七畫

十八畫

十九畫

二十畫

二十一畫

二十二畫

西文作者

國家圖書館出版品預行編目資料

湯顯祖研究文獻目錄
／陳美雪編. --初版. --臺北市：
臺灣學生，民86
面； 公分
參考書目：面
含索引
ISBN 957-15-0806-3(精裝).
ISBN 957-15-0807-1(平裝)

1.（明）湯顯祖 - 研究目錄

017.6 86000806

湯顯祖研究文獻目錄（全一冊）

編者：陳美雪
出版者：臺灣學生書局
發行人：丁文治
發行所：臺灣學生書局
臺北市和平東路一段一九八號
郵政劃撥帳號〇〇〇二四六六八號
電話：三六三四一五六
傳眞：三六三六三三四
本書局登記證字號：行政院新聞局局版臺業字第一一〇〇號
印刷所：常新印刷有限公司
地址：板橋市翠華街8巷13號
電話：九五二四二一九
定價 精裝新臺幣三四〇元 平裝新臺幣二七〇元

西元一九九六年十二月初版

83410

ISBN 957-15-0806-3（精裝）
ISBN 957-15-0807-1（平裝）

臺灣學生書局出版

中國目錄學叢刊

①湯顯祖研究文獻目錄　　陳美雪編